KB103469

다시 온 별밤

다시 온 별밤

발　행 | 2024년 01월 24일
저　자 | 카스테라
펴낸이 | 한건희
펴낸곳 | 주식회사 부크크
출판사등록 | 2014.07.15.(제2014-16호)
주　소 | 서울특별시 금천구 가산디지털1로 119 SK트윈타워 A동 305호
전　화 | 1670-8316
이메일 | info@bookk.co.kr

ISBN | 979-11-410-6852-3

다시 온 별밤

카스테라 지음

차례

사람은 죽으면 별이 된다.
사람들은 도무지 그 사실을 알 길이 없지만, 그들은
사랑했던 사람들이 하늘에서 어느 하나의 별로
빛나고 있는 모습을 떠올리곤 한다.

아스트는 죽은 사람들의 길을 안내해 주는 안내자며, 이 세계는 천국과 지옥의 길로 나누어져 있다. 천국의 길을 따라 걸어가면, 아스트가 당신을 인도해줄 것이다.

나는 이 천국의 안내자 일을 하며 살아가고 있다.

이 세계에서의 천국은 '칸스텔'이라는 이름으로 불리며, 죽은 영혼들은 '인테인'으로 칭한다.

칸스텔에는 계급 또한 존재한다. 제일 위인 헤라, 두 번째 이디첼, 그리고 제일 아래 등급 아스트. 난 그중 아스트로서 일하고 있다.

"야 D-982! 빨리빨리 안 움직여? 느려 터져선! 새로운 손님을 맞이해야 할 거 아니니?"

"죄…. 죄송합니다!"

여기 아스트들은 각자만의 번호표를 가지며 살아가고 있다. 난 그중 D-982, 내가 정한 숫자는 아니지만 은근히 맘에 든단 말이야. 참 이상하게도…. 내가 살아

있을 때 좋아하던 숫자였나….우리 여기 있는 모든 아스트들은 살아있을 때 기억을 모두 잊고 살아가고 있다. 가끔은 내가 살아 있을 때가 궁금해 많은 생각과 고민이 들 때도 있지만 그런 오만가지 생각에 잠들어만 있기에는 너무 바쁜 삶을 살아가며 생각할 틈도 없다. 가끔은 이디첼 분들에게 꾸중을 들으며 혼날 때도 있지만 여기 칸스텔은 되게 포근하며 따뜻한 공간이다.

그렇게 나는 천국인 칸스텔에서 살아가고 있다.

CHAPTER
(1)

사소하지만 큰 행복

어느 날보다 화창하고 따스한 주말이다. 전날 쏟아진 소나기에 풀잎 위에는 이슬이 옹기종기 모여 있다. 알록달록 꽃들은 비를 맞아 더 반짝거렸다. 흠뻑 젖은 정원 흙 위로 지렁이가 고개를 내밀더니 다시 땅으로 꾸물꾸물 들어갔다.

비가 멈추고 축축했던 땅은 보송해지고 있었다. 소나기가 그치기만을 기다리던 사람들이 이때다 싶어 해변으로 나들이를 간다. 사람들은 약속이라도 한 것처럼 화사한 파스텔 색깔의 옷을 입었다.

어느덧 뜨거운 태양이 스며든 바람이 해변을 둘러싼 풀들을 건드린다. 사람이 많지도 또 그렇게 적지도 않은 바닷가 시골이다. 해변에서 아이들이 뛰놀고, 마을 입구 정자에는 어르신들이 모여 이야기를 나누는 모습이 정답다.

매미 울음소리가 시끄러운 오후, 마을 병원에 이득춘이 누워 있다. 이득춘은 암에 걸리기 전까지 환자를 돌보며 바쁘게 살았다. 그는 시골에서 유명한 명의였다.

이득춘은 백발에 얼굴과 손발에 주름이 져 있었다. 그리고 검버섯이 세월의 흔적을 고스란히 새겨놓았다.

이득춘은 각자의 인생을 살고 있는 자식들에게 피해 주기 싫어 모아두었던 돈으로 병원으로 입원했다.

"모두 마음의 준비 하시는 게 좋겠습니다. 아무래도 한 달을 버티기 힘들 것 같습니다."

이득춘의 후배 의사가 말했다. 은퇴하기 전 이득춘이 특별히 아꼈던 후배였다.

이득춘은 가만히 눈을 감고 시한부 선언을 들었다. 평생 건강했던 그는 가족과 함께 건강한 삶을 이어가기 위해 노력했다. 그래서 다른 이들은 이득춘의 나이가 언제 떠나도 어색하지 않다고 했다. 하지만 사랑하는 가족과 이별은 누구에게나 아쉬웠다. 옆에 앉아 지켜보던 아내 순옥이 숨죽여 흐느꼈다. 이득춘은 그런 순옥을 토닥여줬다.

이득춘은 병원에 입원 전 사랑하는 아내에게 마음을 전하기 위해 긴 수필로 편지를 썼다. 편지를 다 쓰고 살며시 눈을 뜨며 창가를 바라보았다. 딸 지민과 아들 지호, 아내 순옥과 함께한 지난 시절이 영화처럼 떠올랐다.

지호와 지민은 둘 다 결혼해서 자식까지 있었다.

이들의 고향은 가장자리에 위치에 있었다. 어린 지민의 눈에는 시골일 뿐인 곳이었다. 그런 지민은 저 멀리 도시에 살았다. 지호는 고향과 가까운 곳에 살고 있었다.

어느 날 누워있던 이득춘이 순옥을 불렀다.

"아이들을 다 불러줘. 이제 가야 할 때가 왔어."

옆에서 과일을 깎고 있는 순옥의 손이 멈췄다. 그리고 지민과 지호에게 전화를 돌렸다. 전화하는 순옥의 목소리는 축 처져있었다.

맨 먼저 지호와 지호의 가족들이 병원에 도착했다. 그리고 이득춘의 친척, 매우 가까웠던 지인들이 들어왔다.

"아버지!"

지호는 헐레벌떡 뛰어와 이득춘의 손을 잡았다. 그리고 이득춘이 말했다.

"지호야, 지민이는 언제 오니? 눈을 감기 전에 지민이를 보고 싶구나."

이득춘은 말하는 것조차도 힘들어 보였다. 숨소리도 예사롭지 않았다. 옆에 서 있던 아내가 금방 도착할 거라며 안심시켰다.

"헉! 헉!"

병실 문 너머에서 숨을 고르는 소리가 들렸다. 문이 드르륵 열리더니 지민이 들어왔다. 곧이어 이득춘의 손주, 사위가 뒤따랐다.

지민의 모습은 방금 늦잠을 자다가 일어난 것 같은 모습이었다. 구겨 신은 운동화와 아무 외투나 집어 대충 잠옷을 가렸다. 지저분한 머리를 머리끈으로 급하게 올려 묶었다. 이마에는 송골송골 땀방울이 맺혀 있었다.

"아버지, 딸 왔어요."

지호가 큰 소리로 말했다. 씩씩해 보이는 목소리는 조금씩 떨리고 있었다.

이득춘은 고개를 조심스레 돌려 지민의 쪽을 향해 바라보았다. 작은 움직임 하나도 버거워하는 이득춘의 모습을 보는 지민은 마음이 찢어졌다. 병실 안에 마음이 편안한 사람은 아무도 없었다. 어린 손주들까지 슬퍼했다.

"내 아내, 우리 지민이, 우리 지호. 손주들."

이득춘이 나긋나긋한 목소리로 부르자 가족들의 마음은 쓰라렸다.

"와줘서, 마지막을 함께 있어 주어서…고맙다."

삐이이이─

심전도 모니터에서 경보음이 울렸다.

이득춘의 가족들이 하나둘씩 울음을 터트리기 시작했다. 하염없이 흘러내리는 눈물들이 마치 병실을 가득 채울 것 같았다.

문이 열렸다. 어두운 표정의 담당 의사가 들어왔다."…. 15시 30분 37초. 이득춘 씨 사망하셨습니다."

의사의 말이 끝나자, 울음소리는 더 커졌다.

　가족들의 눈앞에 이득춘과 함께했던 추억들이 파노라마처럼 스쳐 지나갔다. 이 잊지 못할 추억들은 평생 가족들에게 남겨질 것이다.

***

"여기가 어딘가? 여기가 천국인가?"

차분하고 담담한 말투로 혼잣말하는 목소리가 칸스텔에 퍼져 울린다. 오늘도 어김없이 칸스텔에 새로운 인테인이 들어왔다.

칸스텔에서 일을 하는 아스트들은 각자 패드를 보유하고 있다. 새로운 인테인이 들어오면 이 패드를 통해서 모든 아스트들에게 인체 인의 개인 정보가 공유되었다.

D-982에게 띵하고 알림이 왔다. D-982 패드에도 새로온 인체 인의 개인정보가 와 있었다. 인테인 이름, 나이, 사망원인, 담당할 아스트 등이 나와 있다. 그리고 환생을 위해 칸스텔에서 일해야 되는 기간을 결정하는 등급까지 쓰여 있다.

등급은 헤라가 정하기 때문에 헤라를 제외한 그 누구도 등급을 정하는 기준을 알지 못한다. 가끔 어떤 인테인들은 왜 등급이 낮은지 물어본다. 하지만 아스트들은 설명해 줄 수 없기에 난처하다. 아스트들이 봤을 때 헤라가 인테인에게 딱 맞는 등급을 정해주기 때문에 불만을 가질 필요가 없었다.

아스트들이 패드로 확인한 정보들을 바탕으로 인테인에게 맞춤 서비스를 제공해 준다. 아스트들은 교육받은 대로 절차를 진행한다. 상황에 따라 유연하게 절차를 조금 늦추는 건 위쪽에서 이해해 준다. 하지만 너무 늦게 진행하지 않거나 게을리하면 불이익이 생겼다. 그렇기에 아스트들은 최대한 늦추지 않고 절차를 진행한다.

D-982는 인체 인의 정보를 확인했다.

이름 이득춘
나이 80세
2등급
사망원인 암
·
·
·

D-982가 맡는다.

D-982는 D-982라는 글자를 보자마자 자신의 담당 칸스텔문으로 갔다.

칸스텔에는 문이 있다. 인테인들은 이 문을 통해

이승에서 칸스텔로 이동하게 된다. 각각의 아스트들마다 인테인이 통과할 칸스텔문이 존재한다. 예를 들자면 아스트 D-982가 담당한 인테인은 칸스텔문에서 나오게 되는 것이다.

이득춘에게 D-982가 다가갔다. 따뜻한 얼굴로 공손하게 인사했다.

"참 따뜻하고 평화롭고 신기한 곳일세. 천국 맞지? 내가 설마 눈을 감고 나서 지옥에 올까. 심히 걱정했는데·다행히 천국에 왔구먼. 정말 반갑네."

'처음 칸스텔에 온 사람들은 그렇게 생각하는구나!'

D-982는 잠깐 말없이 바라보았다. 지금까지 칸스텔이 따뜻한 곳은 아니라고 생각했다. 사람이 죽고 오는 곳이었다. 그렇기에 마냥 따뜻할 수 없었다.

"안녕하세요. 이곳은 칸스텔입니다. 흔히 말하는 천국이죠. 이득춘 님은 인테인입니다."

D-982는 말을 이었다.

"왕이라고 할 수 있는 헤라 님이 계시고, 또 헤라 님과 아스트들을 이어주는 이디첼이 계십니다. 저는 이득춘 님을 담당한 아스트 D-982라고 합니다."

"그렇군."

"절 따라오세요."

D-982는 이득춘의 느린 걸음에 맞춰 천천히 걸었다. 어쩐지 일하는 게 아니라 산책하는 것 같아 기분이 좋았다.

"나는 죽음에 있어선 더 이상의 미련이 없네. 물론 저기 밑에 있는 가족들은 슬플 수도 있겠지만 나는 그 누구보다도 행복한 일생을 보냈었지. 내 가족들 곁에서 마지막 작별 인사를 나누고 왔으니 더할 나위가 없어."

이득춘은 쓸쓸한 미소를 지었다. 그리고 말을 이어 나갔다.

"물론 지민이가 많이 슬퍼하는 것 같아서 걱정되긴 하지만 사람이 죽음에 이르는 것은 세상에 이치라고 생각하네. 앞으로 좀 더 시간이 지나면 내가 없는 일상에 익숙해지겠지. 아이코, 내가 너무 말이 많았지. 이제 나는 무얼 해야 하나?"

이득춘은 걷는 속도만큼 천천히 말했다.

D-982는 이득춘이 가족에 대한 사랑과 다른 사람을 배려하는 마음이 넘치는 모습에 안도했다. 까다로운 인테인과 달리 순조롭게 일이 진행될 것 같았다. 빠르게 진행 절차를 설명했다.

"네. 첫 번째 절차를 진행하겠습니다. 두 가지의 선택을 할 수 있습니다. 칸스텔에선 인테인의 등급을 6등급으로 나눠요. 이득춘께선 2등급으로 환생과 별자리 중 하나를 선택할 수 있습니다. 천천히 결정하십시오."

어느새 휴게실 안으로 왔다. D-982는 자리를 비켜 주었다.

이득춘은 몇 시간을 걸쳐 고민하고 또 고민했다. 무슨 결정을 해야 후회를 안 할지. 온갖 시뮬레이션을 돌려보며 최선의 선택을 고르기 위해 노력했다.

그동안 D-982는 절차를 진행할 때 실수하지 않기 위해 매뉴얼을 되새겼다. 사실 여기 온 지 얼마 되지 않은 신입이기 때문에 실수할 것 같아 두려웠다. 그렇게 두 사람의 고민 시간이 흘렀다.

마침내 이득춘은 결정을 내렸다. 확신에 찬 표정으로 D-982를 불렀다.

"드디어 결정했네. 나는 별이 되어 평생 우리 가족들을 보겠네. 내 삶에 미련이 없어 환생은 별로 필요하지 않을 것 같네. 사랑하는 가족들을 볼 수만 있다면 그걸로 충분하네. 이제 편히 쉬어야지."

"네, 알겠습니다. 이제 그…. 어, 죄송합니다. 절차를 까먹어서…."

"괜찮네. 천천히 해도 괜찮아. 기다리면 될 일이니까."

D-982는 이득춘과 대화하면 할수록 긴장한 마음이 차분해지는 것 같았다. 이득춘의 배려로 절차를 다시 본 뒤 진행했다.

"바로 이득춘 님의 기억을 보겠습니다. 가장 인상 깊었던 기억 3개를 말이죠. 그중 한 개의 기억을 선택하시면 기억에 관련된 별자리의 모양을 만듭니다."

"별자리 모양?"

"네. 이왕이면 수많은 별 중 가족들이 한눈에 알아볼 수 있는 걸로 천합니다."

"그래. 고맙네."

이득춘과 D-982는 기억을 보는 영상실로 이동했다. 영상실에서는 인테인의 머릿속을 분석해서 제일 인상 깊었던 기억 3개를 찾는다. 아스트들이 보여주는 기억이 무조건 행복한 건만은 아니다.

"불행한 기억 때문에 힘들 수도 있습니다."

"괜찮네."

바로 이득춘 눈앞에 홀로그램 영상이 떴다. 영상실 안에는 시끌벅적한 소리와 지지직하는 소리만 가득했다.

***

첫 번째 기억

"아빠, 빨리 와요!"

이득춘이 은퇴 후 전원주택에 살았다. 한여름의 열대야로 인해 잠에 들지 못한 이득춘이 있었다. 거실 소파에 앉아 아끼는 보물 1호 카메라를 소중히 천으로 닦고 있었다. 카메라에 상처가 안 나게 집중력과 함께 섬세한 손놀림이었다.

"아빠, 빨리 나와요."

지민이 마당에서 큰 소리로 외쳤다.

"그래, 나간다."

이득춘은 얼른 카메라를 내려놓고 마당으로 향했다.

초록 잔디 한 가운데 불멍을 할 장작이 타오르고, 캠핑용 의자가 조금 멀찍이 놓여 있다.

타다다닥, 타다다닥

장작이 타는 소리가 보는 모두의 마음을 편안하게 해주었다. 빨간 불길은 아주 아름답게 아지랑이처럼 흔들리고 있었다.

"저기 하늘 봐. 별이 아주 잘 보여."

최근 별자리에 관한 책을 읽어 관심이 생긴 지민의 목소리가 한적하고 고요했던 적막을 깼다. 모두 다 같이 올려다보았다. 까만 밤하늘은 별이 빼곡했다. 흔히 말해서 별이 쏟아질 듯 많았다. 가족들의 눈 안에도 별이 비춰서 반짝거렸다.

"거문고자리, 독수리자리에요."

지민은 별자리에 관한 이야기부터 지식을 총동원하여 알기 쉽게 설명해 주었다. 속사포처럼 말하는 지민의 입을 누구도 가로막지 않고 다 들어주었다. 행복한 지민의 모습을 보는 가족들의 모습도 즐거워 보였다.

이득춘은 일일이 눈을 마주쳤다. 활짝 웃는 아내와 신나서 떠드는 딸과 점점 이득춘을 닮아가고 있는 아들을 보니 행복했다.

"지민이가 좋아하는 별을 카메라에 한 번 담아 봐
도 좋겠구나."

"정말요 너무 기뻐요!"

이득춘은 곧장 카메라를 꺼내왔다.

"자, 한번 해보렴."

이득춘은 카메라를 내밀었다.

"와!"

지민이 셔터 버튼을 연신 눌렀다. 잠깐 후 자신이
찍은 사진을 보는 지민의 눈을 보았다. 그 눈은 마치
은하수가 펼쳐져 있는 것 같았다. 지켜보는 이득춘은
아주 뿌듯했다.

지민은 더욱더 신이 나서 별의 관련된 이야기를 이
어 나갔다.

모닥불의 불길이 점점 잦아들고, 시끌벅적한 지민
의 목소리도 잦아들었다. 장작 냄새에 몸과 마음이
편안해졌다.

한참 후 이득춘이 고개를 들었다. 그리고 주위를
둘러보니, 어느새 모두 캠핑 의자에 기대어 곤히 잠
이 들었다.

이득춘은 집 뒤편에 있는 장작을 가져왔다. 가족들
이 깨지 않도록 조심스럽게 움직였다. 그다음 가져온
장작을 화로에 넣었다.

***

이득춘이 먼저 입을 떼었다.

"지민이, 아주 귀엽지?"

"쉬지도 않고 계속 병아리처럼 말하는 모습이 귀엽네요."

"그렇지. 나는 힘들 때마다 저 때 지민의 눈을 기억하면서 힘을 냈어. 저렇게 빛나는 눈을 가진 아이가 집에서 기다리는데 열심히 살아야지 했어."

D-982는 이득춘의 온화한 첫인상과 똑같이 아주 다정하고 따뜻한 아버지라는 걸 느꼈다. 분명 이득춘의 가족들도 그렇게 생각할 거라고 확신했다.

아이들과 소중한 추억으로 힘든 시절을 버티는 모습이 신기했다. 같이 있기만 해도 행복해하는 가족의 모습이 D-982의 마음을 따뜻하게 만드는 것 같았다. 가족의 힘은 이런 걸까, 가족을 가진 사람들이 부러워졌다. 자신도 가족이 있었는지 있다면 어떤 모습이었는지 궁금했다.

아스트들은 기억을 잊고 칸스텔에서 일했다. 과거를 잊어 편하다는 편도 있고, 반대로 알고 싶다는 편도 있었다.

조금 씁쓸한 표정으로 D-982가 말했다.

"분명 아버지가 주신 소중한 기억을 평생 잊지 못할 것 같아요."

"허허허. 그렇지!"

이득춘의 표정이 누구보다도 행복해 보였다. 그 후로도 이득춘의 딸 자랑은 멈추지 못했다.

문득 D-982는 확실히 지민과 이득춘이 닮았다고 생각했다. 웃을 때 눈이 너무 똑같았다. 그리고 자신이 좋아하는 것을 이야기하며 즐거워하는 모습도.

어느 정도 이야기가 멈출 때 다음 기억을 재생시켰다.

***

두 번째 기억

선선한 가을바람이 불었다. 고등학생 지호와 이득춘은 은행나무 길을 걸었다. 두 사람의 발밑에는 노란 은행잎이 하나둘 굴러다니고 있었다.

이득춘은 지호 눈치를 살폈다. 학교에서 무슨 일이 있었는지 지호 눈이 퉁퉁 부어있었다. 누가 보면 벌집을 건드려 벌에게 쏘인 것처럼, 아니면 한바탕 치고받고 싸움이라도 하고 온 사람 같았다.

얼마쯤 걷자, 공원 앞 농구장이 보였다. 이득춘은 이유를 묻는 대신 농구 시합을 하자고 했다. 한껏 상기된 목소리로 소리쳤다.

"우리 오랜만에 농구 시합이나 할까?"

"네?"

"자, 먼저 10점 얻는 사람이 아이스크림 내는 걸로!"

이득춘은 바닥에 있는 농구공을 잡아 지호에게 던졌다.

지호는 아주 날렵하게 농구공을 잡고 바로 게임을 시작했다.

농구 영화의 한 장면처럼 화려하지 않았지만, 게임은 긴장감 넘치게 흘러갔다.

이득춘은 지호의 기분을 풀어주기 위해 시작했다. 그래서 지호가 이길 수 있도록 약하게 하려고 했다. 하지만 중학교 때와 달리 부쩍 커버린 지호의 실력은 대단해졌다.

지호가 바로 첫 골을 넣었다.

"윽, 안 돼."

이득춘은 거친 숨을 내쉬며 공을 막았다. 땀을 뻘뻘 흘리며 지호를 상대했다. 지호도 옷이 다 젖을 정도로 열심히 뛰고 있었다.

경기는 지호의 골들이 줄을 이었다. 지호는 입가에 살며시 미소를 지었다. 땀이 농구장 바닥에도 떨어지도록 치열한 경기였다.

"아, 힘들다. 지호야, 물 먹고 하자."

"네."

지호는 옆에 뒹굴고 있던 가방에서 수건과 물통을

꺼냈다. 이득춘에게 수건을 건넸다. 이득춘은 흠뻑 젖은 몸은 닦고 물을 마셨다. 그리고 호흡이 진정되었다.

"언제 실력이 이렇게 늘었니? 그러고 보니 함께 한 지가 오래되었구나. 앞으론 아빠랑 같이 연습하러 오자."

"네. 마지막 라운드에요."

지호가 벌떡 일어났다. 이득춘은 마지막 힘을 다했다. 하지만 지호 역시 기회를 놓치지 않고 마지막 공을 던졌다. 먼 곳에서부터 날아간 공은 농구 골대에 제대로 들어갔다.

"야호!:

골이 들어가자마자 지호의 목에선 돌고래 소리가 났다. 펄쩍 뛰며 기뻐하는 지호를 보며 이득춘이 활짝 웃었다.

"내가 졌다."

경기가 끝났다. 이득춘과 지호는 벌러덩 드러누웠다.

이득춘도 사춘기 시절 지호와 비슷했다. 멀게만 느껴지는 미래와 불투명한 꿈, 힘든 공부, 인생의 목적이 무엇인지? 가슴 속 뜨거운 불이 불쑥 치밀어 올라 미칠 것 같았다. 그 누구보다 지호 마음을 잘 이해할 수 있었다. 그렇기에 이득춘은 지호에게 아무것도 묻지 않았다.

이득춘은 가만히 지호 얼굴을 바라보았다. 지호는 그 누구보다도 행복해 보였다. 아까 퉁퉁 부었던 얼굴과 슬픔은 땀과 함께 떨궈버린 것 같아서 다행이었다.

"아이스크림 먹으러 가자."

이득춘이 일어나 지호 손을 잡아끌었다. 둘은 편의점으로 갔다. 지호가 좋아하는 젤리와 과자, 음료수를 양껏 담았다.

"아빠, 엄마한테 또 혼나는 거 아니겠지?"

"하하하. 아빠가 잘 말해볼게."

"네."

지호가 이득춘을 향해 활짝 웃었다.

***

이번엔 D-982가 먼저 말을 걸었다.

"지호가 농구를 참 잘하네요."

"하하하, 날 닮아 운동 신경이 좋지."

이득춘은 흐뭇한 웃음으로 답변했다.

D-982는 이득춘과 지호가 귀여워 보였다. 같이 하는 운동 하나로 순수하게 좋아하는 모습이 좋았다. 보기만 해도 행복해지는 것 같았다. 보면 볼수록 부러워지는 가족이었다.

이득춘은 행복한 추억에 잠겼다. 그리고 눈에는 눈

물방울이 맺혔다.

 D-982는 버튼을 눌렀다. 3개의 기억 중 마지막 기억이 틀어졌다.

***

세 번째 기억

 이득춘은 퇴근 후 보석 가게로 달려갔다.

 "어서 오세요. 무엇을 도와드릴까요?"

 이득춘을 맞이하는 가게 직원의 목소리가 들렸다. 친절한 목소리 뒤로 이득춘이 숨을 천천히 고르고 말했다.

 "결혼식에 쓸 왕관을 만들고 싶어요."

 "왕관요??"

 직원이 당황해하며 대답하지 못하고 있었다.

 "가능합니다."

 검은 양복을 입은 남자가 대답했다. 남자는 가게의 사장이었다.

 "가능하다고 한 곳은 처음이에요. 정말 감사합니다!!"

 "아닙니다. 신부님이 기뻐하시겠네요."

 "네. 아직은 왕관을 만든다는 걸 말하지 않았지만, 분명히 좋아할 거예요. 왕관을 쓴 아내는 정말 아름다툴 것 같아요."

이득춘은 활짝 웃으며 어린아이같이 방방 뛰며 좋아했다. 그리고 미리 그려온 왕관의 디자인을 보여주었다. 종이에는 왕관 도안과 왕관에 붙일 보석까지 세세하게 적혀 있었다. 이득춘의 정성이 한가득 담겨 있었다.

"이런 세세한 도안을 주시면 저희가 너무 감사하죠. 아주 완벽해요."

이득춘은 사장의 말을 듣고 뿌듯해했다. 둘은 테이블을 사이에 놓고 견적을 보았다. 테이블은 투명한 유리로 되어있었다. 투명 유리 밑에는 반짝반짝하다 못해 눈이 부시는 보석들이 있었다. 이득춘은 난생처음 보는 화려함에 당황했다.

사장은 직원들과 합의하러 갔다. 그리고 책정된 금액을 이득춘에게 전달했다.

"이렇게 가격이 높을 줄 몰랐네요."

"물가가 많이 올라서요."

이득춘은 살짝 고민하다 왕관을 만들기로 결심했다.

이득춘은 왕관을 기다리는 동안 행복했다. 회사에서 콧노래를 흥얼거렸고, 동료가 실수로 자기 옷에 커피를 쏟아도 행복했다.

며칠 후 왕관이 완성되었다는 문자가 왔다. 이득춘은 퇴근하자마자 가게로 달려갔다.

"정말 아름다워요.":

이득춘은 감격했다. 세상에 하나뿐인 왕관은 가게 안 다른 보석과는 차원이 다를 정도로 아름다웠다. 직원도 예쁘다고 생각했는지 한 가지 제안을 했다.

"모양만 비슷하게 만들어서 전시해도 될까요? 디자인이 너무 예쁘게 잘되었어요."

"그럼요. 하하하, 너무 잘 만들었죠? 전시는 마음껏 하세요. 하지만 판매는 안 됩니다. 이 왕관을 쓴 사람은 이 세상에 단 한 사람이어야 하거든요."

"네, 알겠습니다."

직원은 바로 대답했다.

이득춘은 왕관을 가지고 집으로 돌아갔다. 그리고 순옥에게 들키지 않기 위해 애를 썼다. 순옥과 만나는 날이었다. 이득춘은 순옥을 기쁘게 해줄 생각에 신이 났다. 그리고 감정을 숨길 수 없었다. 멀리서 봐도 신난 게 티가 났다.

그런 이득춘을 보고 순옥은 의아해했다.

"뭐가 그렇게 신나?"

이득춘은 뜨끔했다. 그리고 빠르게 변명거리를 찾고 말했다.

"곧 결혼하잖아. 당연히 기쁘지!"

"흠…. 수상한데? 뭘 숨긴 건 아니겠지?"

순옥의 예리함이 이득춘을 초조하게 만들었다.

"에이~ 없어. 빨리 결혼식 올렸으면 좋겠다! 그렇

지?"

순옥은 이득춘의 말에 더는 의심하지 않고 수긍했다. 이득춘은 안심했다. 그렇게 들키지 않고 몇 날 며칠이 지나갔다.

드디어 결혼식 날이 되었다. 대기실에 순옥이 앉아 있었다. 순옥은 새하얗고 보석이 예쁜 드레스를 입고 사진을 찍으며 대기했다. 이날 세상에서 제일 아름다운 사람이었다.

이득춘은 신부 대기실을 두리번두리번했다. 타이밍을 살피고 몸 뒤로 작은 상자를 숨기면서 순옥에게 다가갔다. 그리고 슬쩍 꺼내 상자의 뚜껑을 열었다.

"당신 이거 뭐야? 너무 예뻐."

아내는 무척 기뻐했다. 눈가에 그렁그렁 눈물이 차올랐다. 화장이 지워질까 봐 울지는 못했다. 그런 아내를 바라보는 것만으로 이득춘은 행복했다.

"설마, 저번에 뭐가 숨겼던 것도 이거였어?"

이득춘은 고개를 끄덕였다.

"나 연기 잘하지!"

순옥은 이득춘의 말이 웃겼다. 너무나도 티 나는 연기였기에.

새하얀 드레스에, 왕관을 쓴 아내는 세상에서 가장 완벽하게 아름다운 신부가 되었다. 그리고 이득춘은 가장 아름다운 신부를 맞이한 신랑이 되었다. 모두의 축복 속에 결혼식은 끝났다.

D-982는 신기했다. 하나도 빠짐없이 가족에 관한 기억이었기 때문이다. 가족에 대한 기억은 한두 개 있을 정도였다. 없는 인테인들도 있었다. 3개 모두 가족인 사람은 처음이었다. 이해가 가지 않았다.

기억을 다 본 이득춘의 눈에서는 눈물이 흐르고 있었다.

D-982는 휴지를 건넸다. 그리고 이득춘의 눈물이 그칠 때까지 계속 기다렸다. 이득춘의 마음이 어떨지 누구보다 잘 알아서다. 몇 분 뒤 눈물이 그쳤다.

"가족을 무척 사랑하시는 이득춘 님 덕분에 저도 행복해지네요. 이제 3개의 기억 중에서 1개만을 골라 별로 만들어야 합니다. 천천히 고르세요."

D-982의 말을 들은 이득춘은 바로 대답했다.

"다 너무 소중한 추억들이야. 하지만 이건 바로 결정할 수 있지. 왕관을 만든 기억으로 정하겠네, 그때가 우리 가족의 출발점이니까, 지호와 지민이도 왕관을 바로 알아볼 거야."

D-982는 이득춘이 빨리 결정해서 놀랐다. 모두 소중한 기억이기에 결정할 때 오래 걸릴 거로 생각했다. 그렇지만 이유를 듣고 나니 납득이 되었다. 너무 넘치는 가족 사랑이었다.

"네, 알겠습니다. 별자리가 완성될 때까지 기다리시면 됩니다. 필요한 거 있으시면 언제든지 말씀하세요."

"고맙네."

이윽고 아스트들이 열심히 별자리를 만들기 시작했다. 왕관은 섬세함이 필요한 모양이었다. 왕관을 장식하는 보석들 하나하나가 가족들의 추억을 말하는 것 같았다.

점점 완성되는 별자리의 모습은 진짜 왕관 닮아갔다. 수백 개의 별들이 은하수를 만들어 왕관을 가득 채웠다. 가족들의 추억이 가득 담긴 왕관이었다. 그렇기에 그저 말로 형용할 수 없는 아름다움이었다.

다음 날 드디어 아스트들이 D-982에게 왕관이 완성되었다는 소식을 전했다. D-982가 서둘러 이득춘을 구석구석 찾으러 다녔다. 하지만 쉽게 찾을 수 없었다.

'어디 계신 거지? 빨리 안 하면 혼날 텐데….'

D-982는 점점 다급해졌다. 그리고 1시간이 지나고 있을 때, 이득춘이 목소리가 들렸다.

"나 여기 있네."

칸스텔의 환생을 선택한 주민들이랑 이야기를 나누고 있었다. 이제 벌써 절차가 마지막을 향하고 있었다. 일단 D-982는 완성된 디자인을 이득춘에게 보여줬다.

"아주 완벽해."

D-982는 이득춘의 칭찬에 기분이 좋았다. 칭찬을 받고 기분이 좋지 않을 사람은 없었다. 이제 헤라의 허가를 받으면 마지막이다. 짧았던 며칠에 걸친 절차가 끝이 나고 있다.

이득춘이 떠나는 날이 왔다. D-982는 이득춘에게 정이 생겨서 아쉬웠다. 생각해 보니 이득춘전인 테인들은 업무로 생각했다. 그저 단지 자신이 환생에 도달하기 위한 수단으로 말이다.

아스트 일을 하면서 감성적으로 되는 건 위험했다. 마주하는 한 명 한 명의 인테인들에게 감정 소비를 하게 된다면 너무 힘들어질 것이다. 로봇같이 일해야 하는 일이었다.

하지만 이득춘은 D-982를 너무나도 따뜻하게 대해 주었다. 모든 일에 서투르고, 조급해하던 D-982를 느긋하게 기다려 주었다. D-982는 그런 따뜻함이 감사했다. 그래서 더 빨리 절차를 진행했다. 이득춘이 떠났을 때 자신의 마음이 아플까 봐.

D-982는 완성된 별자리와 함께 이득춘의 정보를 이디첼에게 전했다. 이디첼은 아스트와 헤라 사이를 이어주는 역할 했다.

헤라의 허가는 아주 늦게 승인된다. D-982는 헤라가 빨리 허가해 주기를 바랐다. 다행히 허가를 요청한 지 몇 시간이 채 되지 않고 바로 허가서를 이디첼이 D-982에게 건넸다.

　이득춘은 허가를 기다리면서 휴게실 의자에서 잠들어 있었다.

　D-982는 이득춘을 보았다. 그 누구보다도 표정이 밝아 보였다. 이득춘은 아주 행복한 꿈을 꾸고 있는 듯했다.

　'무슨 꿈이기에….'

　D-982는 지금 깨우면 이득춘에게 미안할 것 같았다. 그래서 이디첼에게 혼날 수도 있지만 1시간만 좀 더 있다가 마지막 절차를 진행해도 되냐고 물었다. 조금 마음에 들지 않다는 표정으로 있던 이디첼은 어쩔 수 없다는 듯이 알아서 하라고 대답했다. 생각보다 쉽게 허락해 줘서 D-982는 안심했다. 그리고 한편으로는 너무 쉬워서 의심스럽기도 했다.

　'뭐 잘 넘어갔으면 됐지.'

　시간이 빠르게 흘러 지나갔다.

　"약속한 시각이 다 지났어. 너 신입이 이러면 안 돼."

　D-982는 시간이 너무 야속하다고 생각했다. 죄송해도 D-982는 슬슬 이득춘을 깨워야 했다. 헤라 님의 허가를 받고 오랫동안 절차를 진행하지 않으면 안된다. 안 그러면 크게 혼날 수도 있었다.

　"이득춘 님, 일어나세요."

　이득춘은 몸을 뒤척이면서 서서히 눈을 떴다.

"이제 떠날 시간이구먼."

이득춘은 마지막을 눈치채고 부스럭부스럭 떠날 준비를 했다. 벌떡 일어나서 어디론가 향했다. 환생하는 문의 위치는 어떻게 알았는지 정확한 방향으로 향했다.

"어떻게 아셨어요?"

"다른 사람들이 가는 거 봤지. 내가 가는 곳이 맞지?"

D-982는 조금 서운했다. 짧은 시간이었지만 정이 든 자신과 달리 떠날 날을 기다리며 문의 위치까지 알아둔 것 같아서다.

마지막 문까지는 거리가 있었다. 둘은 문 가까이 걸어가며 아무 말도 하지 않았다. 문에 도착하자마자 이득춘은 D-982에게 말을 걸었다.

"서운해 하지 말게나. 마지막은 혼자 생각할 시간이 필요했네. 그동안 고마웠어. 이 늙은이를 친절하게 대해주고 위해주어서."

D-982는 눈물이 조금 날 것 같았다. 아니, 이미 눈물이 한 방울 떨어지고 있었다. 그리고 점점 두 방울 세 방울 더 많이 떨어졌다.

D-982는 이상하다고 생각했다. 아쉬운 감정은 분명히 있었다. 하지만 눈물이 흐를 거라는 건 전혀 예상하지 못했다. 자신의 아스트일을 할 동안은 우는 일이 없을 거로 생각했다. 간혹 우는 동료를 보면 이

해가 안 되었다. 그런데 자신이 이렇게 울고 있으니 웃기기도 했다.

이득춘이 눈물을 떨치는 D-982의 손을 꽉 잡았다. 이득춘의 손은 거칠거칠했다. 그 손이 D-982를 더 마음 아프게 했다. 가족을 위해 거칠게 살아왔던 이득춘의 모습이 보였기 때문이다.

D-982는 눈물을 꾹 참고 마지막 문을 담당하는 아스트에게 허가서와 개인 정보를 건넸다. 마지막 문이 열리고 이득춘은 천천히 그 문을 통과했다. 멀어지는 이득춘의 뒷모습을 보며 D-982는 가슴속 깊은 곳에서 알 수 없는 따뜻함을 느꼈다. 용기를 내 이득춘에게 손을 흔들었다. D-982의 눈은 퉁퉁 부어 있었다.

D-982는 한 명의 인테인을 보냈다.

"하…."

무사히 이득춘을 보낸 안도와 아쉬움이 뒤섞인 한숨을 내쉬었다.

이번 인테인은 D-982에게 많은 영향을 주었다. 잊지 못할 기억과 경험을 남겼다.

* * *

　이득춘의 장례식이 끝나고 일 년 하고 6개월이 지났다. 마음을 추스르기엔 약간은 부족한 시간이었다.

　가족들은 자기 남편, 아버지를 마음 한쪽에 남겨 두었다. 각자의 하루는 전과 같은 듯 다르게 흘러갔다.

　지호는 원래 일상을 보내는 것처럼 지냈다. 예전에도 그랬던 것처럼 2달에 한 번은 가족을 데리고 어머니의 집으로 향했다. 그리고 저녁밥을 같이 먹고 왔다. 한 번씩 기념일이 되면 꼬박꼬박 선물을 골라 어머니에게 선물했다.

　지민은 원래 살던 집을 정리했다. 어머니 집 주변에 살기로 결정을 내렸다. 지민의 가족들도 쉽게 동의하고 도와주었다. 최대한 자신의 회사에서 멀리 떨어지지 않는 곳에 집을 옮겼다.

　빼곡한 아파트 단지를 벗어난 곳이었다. 푸릇한 풍경이 아이들이 뛰어놀기 좋았다. 조용하고 평화로웠다. 자신이 어렸을 적 이런 곳을 왜 떠나고 싶어 했는지 후회스러웠다. 하지만 후회를 해보아도 달라지는 건 없었다. 그래서 지금을 즐기기로 다짐했다.

집 마당에 누워서 밤하늘을 구경할 수 있는 해먹도 설치했다. 지민이 제일 좋아하는 공간이다. 아무리 힘든 날에도 밤하늘을 구경하는 시간이 오면 행복해졌다.

순옥은 외로웠지만 가끔 찾아오는 자식들이 있어 괜찮았다. 아침이 되면 산책하러 나가고, 점심이 되면 동네 정자에 앉아 마을 사람들과 밥을 먹었다. 저녁이 되면 집으로 돌아왔다.

취미도 생겼다. 독서하는 것이었다. 원래 눈이 좋지 않아서 책을 읽기 힘들었다. 그런 순옥을 보고 지호가 순옥의 눈에 맞춘 돋보기안경을 선물했다. 처음 안경을 사준다고 했을 때는 절대 안 받는다고 거절했다. 그래서 지호는 순옥 몰래 집에 안경을 놔두고 갔다. 순옥은 한 번 써보고 맘에 들었는지 매일 안경을 쓰고 책을 읽었다.

가끔 자식들과 함께 여행도 다니며 지냈다. 해외여행, 국내 여행 심심할 틈이 없게 방방곡곡을 돌아다녔다. 지민과 지호는 순옥의 나이가 한 살이라도 적을 때 추억을 많이 쌓자고 약속했다.

어느 날 지민이 어머니의 집에 왔다. 지민은 차로 어머니를 모시고 근처 식당으로 갔다. 가끔 먹을 수 있는 비싼 가격의 음식을 먹었다. 이런저런 이야기가 흘러갔다.

"나 가끔 아버지한테 화낸 기억이 맴돌아요. 내가 너무 철없이 굴었던 때도 많아서 후회스러워."

그리고 누구보다 이득춘과 오랜 시간을 보내온 순옥이 말을 건넸다.

"반성하면 된 거야. 너와 지호 덕분에 행복한 일들이 더 많았을걸? 그런 걸로 속상해하면 아버지가 더 슬퍼하시겠다."

지민도 다 알고 있는 사실이었다. 하지만 순옥의 말은 너무나 큰 위로가 되었다. 그 어떤 화려한 문장들 보단 말이다.

"엄마는 이제 괜찮아? 쓸쓸하면 나한테나 지호한테 꼭 얘기해요."

위로에 보답하는 듯이 안부를 물었다. 그리고 계속 화목한 식사가 이어졌다. 잘 크고 있는 지민의 자식들의 이야기, 옛날을 추억하는 이야기 등이 오갔다.

행복한 외식을 끝내고 같이 집으로 돌아갔다. 어머니와 지민은 마당에 앉았다. 유독 오늘따라 밤하늘에 별이 잘 보였다. 사람이 드문 시골이라 도시보다 별이 잘 보이지만 이날은 특히 그 어떤 날보다 선명했다.

문득 지민의 머릿속에 행복하던 어린 시절이 떠올랐다. 심으로 돌아가서 어릴 때 좋아했던 별자리를 찾기 시작했다. 갑자기 지민의 눈이 동그랗게 커졌다.

"헉! 저건?"

지민은 한참 동안 별을 보았다. 난생처음 보는 생소한 모양으로 이어지고 있었다. 별에 대해서는 빠삭하게 알고 있었다. 그런 지민에게 모르는 별자리라니, 갑자기 무슨 별자리인지 궁금해졌다.

지민은 별들을 선으로 이어보았다. 별들이 이어져서 만들어진 그림을 보고 흠칫했다.

'이건 분명히 아버지가 맨날 나에게 자랑했던 부모님의 결혼식 왕관이잖아. 하도 질리도록 많이 보여주셔서 머릿속에 각인이 되어있나?'

고개를 돌려 옆에 앉아 있던 순옥을 바라보았다. 순옥도 무언가 찾은 듯 보였다. 동시에 순옥의 눈에서 눈물이 흘러나왔다.

"결혼식 왕관이야! 네 아빠가 만들어준 것."

지민은 아버지를 너무나 그리워하는 마음에 보이는 건 아닌지, 착각하는 건 아닌지 헷갈렸다. 눈을 비비고 다시 보았다. 수많은 별 사이에서 점점 어떤 형태가 보이기 시작했다.

"정말 왕관이네요."

순옥은 고개를 끄덕였다. 그리고 말했다.

"설마 아빠가 별이 되어 우리를 지켜보는 것 아닐까?"

"정말 그런 것 같아요. 아버지는 잘 지내고 계신 것 같아요. 정말 못 말려요. 평생 자랑하고 다녔던 걸

하늘에 올라가서도 자랑하시다니."

지민의 말에 순옥은 미소를 지었다.

"지호와 함께 보면 더 좋았을 텐데…… 지민아, 저번에 사둔 카메라로 사진 찍자."

"앗! 잠깐만요."

지민은 아버지의 취미였던 사진 찍는 것을 시도해 보려고 사 놓은 카메라가 있었다. 하지만 금방 포기하고 어머니 집의 창고에 카메라를 고이 모셔두었다. 곧 중고로 팔 생각이었는데 팔지 않기를 잘했다는 생각이 들었다.

지민은 곧장 집으로 들어가 창고를 뒤져서 카메라를 찾았다. 조금 많이 수북하게 쌓인 먼지를 털어내었다. 그리고 잘 작동되는지 확인했다. 안 쓴 지 오래되었지만, 다행히도 잘 작동했다. 다시 마당으로 나갔다.

지민은 어설픈 사진 실력으로 별을 최대한 예쁘게 담기 위해 노력했다. 원하는 만큼 예쁘게 찍지는 못했다. 실제 눈으로 보이는 게 카메라에 담기지 않아 아쉬웠다.

"엄마, 별자리는 매년 이맘때 다시 볼 수 있어요. 내년에 지호랑 함께 봐요."

"그래. 아빠 기일에 모여 다 같이 모여 밤하늘을 보자."

"네. 아빠처럼 사진도 매년 찍어 기록해요."

지민과 순옥은 한참 동안 빛나는 밤하늘을 바라보았다.

CHAPTER
(2)

개와 주인

도망치고 싶어,
틀에 박힌 삶에 변수란 없었다.
어릴 적 나는 내가 무슨 특별한 사람인 줄만 알았지.
그런 방자한 생각은 나를 더 비참하게 만들 뿐이었
다. 결국 나는 지나가는 행인1에 그치는, 그저 그런
사람일 뿐.

소아의 몸은 홀딱 젖어있었다. 아침부터 들려오던
불길한 예감이 어김없이 현실이 되던 순간이었다.
금요일 저녁 7시.
퇴근하는 사람들이 수놓아있는 고요하지만 소란스
러운 지하철. 소아 또한 그곳에 섞여 제 갈 길을 가
고 있다. 모두가 귀에 이어폰을 낀 채 자신의 취향에
맞는 노래를 이리저리 틀어대고 있었다. 그들이 무슨
노래를 듣고 있는지 궁금해 이따금 핸드폰을 한두 번
쳐다봤지만 금세 포기했다.

분명 한 공간 안에서 한 방향으로 향하는 지하철인데, 사람들의 목적지는 왜 다 다를까. 언뜻언뜻 드는 잡생각들은 소아를 더욱 불분명히 만들었다.

소아의 오늘 하루는 가히 최악이었다. 아침부터 시작됐던 불길한 징조는 도화선이 되어 불을 지폈다. 추운 겨울이 응집해 바싹 마른 입술을 보호해 줄 립밤을 안 가져온 것부터가 그 시작이었다.

소아는 부지런한 사람이었다. 제시간에 눈을 뜨는 게 일상. 습관이 된 좋은 버릇들이 그녀를 괜찮은 사람처럼 보이게 만들어줬다. 그런 그녀가 오늘 아침엔 무려 30분이나 늦잠을 잔 게 아니던가.

허겁지겁 달려오는 바람에 아침은커녕 매일 보던 일기예보 또한 보지 못했다. 예정된 시작이 흐트러지는 기분은 상상 이상으로 불쾌했다. 굽이 낮은 구두를 신고, 도어락 문을 잠갔는지 잠그지 않았는지 제대로 확인도 못 해보곤 허겁지겁 집 밖을 나왔다.

직감할 수 있었다. 오늘이 최악의 하루가 될 거라는 걸. 시간이 급해 어쩔 수 없이 탄 택시 안에서 소아는 확신했다. 습한 공기, 품에 우산을 끼고 나오는 사람들, 한겨울의 새벽보다 차가운 이 파란 어둠. 소아가 아침에 미처 보지 못했던 일기예보를 하늘이 대신 충족시켜 알려주고 있었다. 별로 달가운 정보는 아니었다.

하필 어제 가방을 정리해 매일 들고 다니던 접이식 우산을 집에 두고 왔다는 사실은 우중충한 하늘을 보자마자 떠올릴 수 있었다. 소아는 눈을 가늘게 찌푸리곤 한숨을 덧대었다. 오늘 하루, 쉽지 않겠구나. 그녀는 직감할 수 있었다.

지루하고 비루한 일을 끝마쳤을 때 역시 비는 쉴 틈을 내주지 않았다. 소아는 당차게 걸어가다 건물의 가림막 아래 멈춰 섰다. 거센 소나기가 매섭게 몰아쳤다. 무슨 원한이라도 있는 듯 무섭게 쏟아지는 빗줄기는 당장이라도 누군가를 죽일 기세였다.

컴컴한 앞과 먹먹한 귀에 오감이 멍해졌다. 도무지 앞으로 갈 기미가 보이지 않았다. 습한 향기가 다가와 영원한 비의 연주를 속삭이고 있었다.

소아는 계속 그 자리에 멈춰있었다. 그 자리에 계속이고 정지해있었다. 소아는 속은 한숨을 짧게 내쉬곤 주변을 쳐다봤다.

주변이 너무도 소란스러웠다. 재잘재잘 떠들어대는 바쁜 몸들이 오히려 그녀에게 느긋한 정취를 자아내게끔 해주었다. 소아의 차분한 표정이 마치 클래식이라도 된 듯, 소리 없이 음악을 감상할 뿐이었다.

약간은 늦어 칼퇴시간은 맞추지 못한 퇴근길. 회사 사람들을 모두 계속이고 앞을 향해 자신의 목적지로 돌아갔다. 대부분 아침의 일기예보로 우산을 챙겨왔거나, 회사 앞까지 우산을 가져다줄 자신을 소중하게 생각해주는 사람이 있었다. 누군가는 비를 맞지 않기 위해 택시를 부를 정도의 자본을 소유하고 있었고, 또 누군가는 다른 회사 동료 친구의 우산을 말미암아 회사 밖으로 향하고 있었다. 소아 빼고 모두가 각자의 방법으로 비를 피하고 있었다. 그녀를 제외한 모두가 그녀를 제쳐나갔고, 비를 피했고, 앞으로 나아갔다. 소아를 제외한 모두가 정지하지 않았다. 오로지 그녀만, 소아만 그 자리에 계속이고 서 있었다.

소아는 자신의 손을 앞으로 뻗어 비를 어루만졌다. 동그랗게 오므린 손에 비가 고였다. 빗물은 미지근했다. 다행이었다. 자신을 감싸 안아 줄 비가 차갑지 않아서 말이다. 소아는 앞으로 걸어가고, 또 걸어갔다. 수많은 빗물의 자살을 온몸으로 받아냈다.

어느샌가 다다른 지하철 안은 시원했다. 습한 날씨에 고통받는 사람들에게 휴식을 내어주듯 시원했다. 소아는 만신창이가 되어 지하철 안으로 걸어왔다. 낮은 굽이지만 특이한 걸음걸이에 알맞게 뚝뚝 나는 신기한 구두 소리가 그 이목을 끌었다. 사람들은 비와 한 몸이라도 된 듯 조용히 걸어가는 그녀를 안 보는 척 조심히 쳐다봤다.

축 늘어져 장발처럼 보이게 하는 중단발의 머리카락과, 햇빛을 잘 받지 않아 너무 하얘진 피부, 비에 홀딱 젖어 어두워진 갈색의 반팔까지. 만약 술에 취한 채 지금의 그녀를 마주했다면 귀신으로 오해해 당장 도망갔을 터였다.

　사람들이 이따금 따끔한 시선으로 소아를 쳐다보았지만 소아는 지금 놀랍도록 침착했다. 그 점이 사람들을 더욱 섬뜩하게 만들었을 수도 있다. 확실히 지금 그녀의 모습은 비에 흠뻑 젖은 사람이 취할 만한 행태가 전혀 아니었다.

　소아는 천천히, 차분한 자태를 뽐내며 앞을 향해 걸어갔다. 한 발 한 발 내딛는 걸음이 너무도 느릿하고 정교해 기품있어 보일 정도였다. 대조되듯 차분한 모습에 오히려 냉기가 서렸다. 그녀의 행색이나 표정에선 전혀 우아함이 느껴지지 않았는데, 아이러니하게도 그녀 주변의 공기만 색깔이 달라 보였다. 소아의 표정은 당장 잠들면 꿈에 나오기라도 할 듯한 기괴함을 띄고 있었다. 그럼에도 왜인지 그 표정이 너무나 애처로워 보였다.

　소아의 얼굴엔 체념이라는 단어가 꽂혀있었다. 지나친 무표정과, 소름 돋을 정도의 고요함. 지금 그녀를 감싸고 있는 처연한 분위기의 주범이었다.

* * *

소아는 억척스레 쏟아지는 비를 온몸으로 받아냈다. 그녀는 일정한 보폭으로 앞을 향해 뚜벅뚜벅 걸었다. 거센 비바람에 몰아치는 흙탕물에 새로 산 바지도, 고심 끝에 고른 아끼는 반팔도 전부 더러워졌다. 더 이상 흙탕물과 빗방울을 구분할 수 없었다. 태가 나지 않을 정도로 완벽히 뒤섞인 기나긴 장마철이, 그녀를 급습하고 있었다. 소아는 더 이상 주변을 신경 쓰지 않고 무작정 앞으로 향했다. 웅덩이도 마다치 않고 발을 담갔다. 그녀의 발은 이미 흙탕물로 완전히 점철되어 있었다.

온몸에 쏟아지는 비를 마구 받아들이고 있으니 예상외로 침착해지는 기분이었다. 빗속 한가운데는 생각보다 춥지 않았고, 오히려 시원했다. 습하지 않았고, 상쾌했다. 소아는 떨어지는 비의 곡예를 천천히 감상하며 걸었다. 우산이 없는 소아의 주위를 수만 개의 빗방울이 채워주고 있었다. 그녀는 그제서야 기나긴 외로움을 달랠 수 있었다. 기나긴 밤을 채울 수 있었다.

길고 길 것만 같던 연극도 언젠간 막을 내린다. 소아는 어느덧 자신의 집에 도착했다.
"다녀왔습니다."
소아는 돌아오지 않는 허공에 본인의 귀환을 알렸

다. 소아가 고향을 떠나 이곳에서 고시 공부를 하기 시작했을 때부터 입에 달라붙은 작은 습관이었다. 아무 대답도 돌아오지 않으면 금세 실망할 것이 뻔했지만, 소아는 항상 돌아올 대답을 기다리기라도 하듯 매번 빈 허공에 안부 인사를 속삭였다. 버릇처럼 자리 잡은 습관은 좀처럼 고치기 힘들었다. 그때였다.

방 한쪽 구석에서 레오가 짖어대는 소리가 들려왔다. 소아는 흠칫 놀라 레오를 쳐다봤다. 소아는 살며시 경계를 풀었다. 동시에 찾아오는 안도감이 소아를 녹게 해주었다.

레오는 반갑고 정겨운 표정으로 소아를 반겨주었다. 소아를 쳐다보며 흔들거리는 꼬리가 퍽 귀여웠다.

"레오야."

소아는 다리를 웅크리고 앉아 레오와 자신의 눈높이를 맞췄다. 레오의 까만 눈동자가, 코코아 한 잔처럼 따뜻하고 달콤한 향수가 소아를 반겨주었다.

소아는 일어나 두리번거렸다. 눈 끝 한 올 한 올에 자취방이 들어왔다. 햇빛이 싫어 고심 끝에 사났던 비싼 암막 커튼과, 곳곳에 달린 따스한 분위기를 띠는 조명들. 구석구석에 애쓴 흔적들이 스며있었다.

소아의 표정이 다시 어두워졌다. 그 일이 일어난 후, 그녀는 모든 걸 포기해야 했다. 아무것도 가질 수 없었고, 아무것도 남겨놓을 수 없었다. 소아의 의지와 상관없이 모두 소아 곁을 떠나갔다. 유일하게 남아있던 게 바로 이 자취방이다. 어쩌면 원망이 시작됐던 곳이자, 마지막 발붙이라는 사실이 때로는 목을 메울 만큼 괴로웠지만 소아는 결국 이겨냈다.

최대한 자신이 좋아하는 것들로, 최대한 자신을 편안하게 하는 것들로 가득 채우자 차츰 자취방에 정을 붙일 수 있었다.

소아는 가볍게 숨을 들이마셨다. 레오를 향해 입꼬리를 활짝 들어 올려 배시시 웃었다. 조금 어색해도 정겹고 따스한 웃음이다.

소아는 가만히 레오의 머리를 쓰다듬었다. 복슬복슬 보드라운 황금색 털이 소아의 지친 마음을 위로해 주었다.

레오는 비에 흠뻑 젖은 소아의 손을 핥아주었다. 애절하고 슬픈 레오의 큰 눈망울이 소아를 마주하고 있었다.

"왈왈."

소아는 그제야 오늘 아침 레오의 밥을 챙겨주지 않았다는 사실이 떠올랐다. 배고프다는 사실을 드러내지도 않고 자신의 물기를 핥아주는 레오의 모습이 안쓰러웠다.

"배고프지?"

서둘러 레오가 좋아하는 사료를 담아왔다. 복스럽게 먹는 모습이 마냥 귀여웠다.

***

    소아와 레오가 처음 만난 건 소아가 16살이 되던 해의 봄이었다. 처음 키워보는 반려동물에 서투를 때도 많았지만 둘은 틀림없는 친구였다. 소아는 레오와 함께 뛰어노는 걸 좋아했다. 가끔은 산책을 빌미로 밖에 나가 하루 온종일 놀기도 했다.

    레오와 무언갈 함께할 때면, 소아는 자유를 느꼈다. 이 세상 어디에도 자신을 방해하는 사람이 없을 것만 같은 만족감은 오직 레오와 함께일 때만 느낄 수 있었다. 뭐든 할 수 있을 것만 같았고, 무엇이든 이겨낼 수 있을 것만 같았다.

    하지만 그런 마음은 결코 오래가지 못했다. 활기찼던 시절이 만무하게, 소아와 레오에겐 곧 크나큰 역경이 찾아왔다.

    모든 일은 그날로부터 시작되었다. 분명 그날은 코끝이 시렵도록 내리던 하얀 눈이 어느새 멈춰 녹아가고 있는 시점이었다. 봄이 다가오고 있는 시점이었다. 여전히 날씨는 너무나 추웠고, 사람들은 그 추위를 이겨내기 위해 따듯한 옷을 몇 겹씩 껴입고 앞으로 향해가고 있었다. 모두가 빨리 시린 겨울이 가고 따듯한 봄이 오길 손꼽아 기다리고 있었다. 하지만, 소아만은 그들과 달랐다.

그 무렵 소아는 몇 번째 계속 실패하고 있는 행정고시를 준비 중이었다. 모두가 그렇듯 소아 역시 처음에는 희망과 설렘에 가득 차 있었다. 모든 예제가 손쉽게 풀렸고, 주변 사람들의 칭찬도 파다했다. 그래서 소아는 믿었다. 그 특별한 일의 주인공이 자신일 것이라 믿어 의심치 않았다. 그리고 그런 특별한 일은 자신같이 평범한 사람에게는 일어나지 않는다는 사실을 깨닫는 데는 그리 긴 시간이 걸리지 않았다.

결과는 역시나. 역시였다. 그렇게 1번, 2번⋯. 몇 번의 시험들을 몇 차례에 걸쳐 응시했으나 결과는 억지스럽게도 항상 똑같았다. 반복되는 답장이 그녀를 무겁게 짓눌렀다.

그렇게 소아는 다른 사람과 별반 다르지 않게 별 볼 일 없는 사람이 되어갔다. 하루하루의 인생이 0.5배속의 동영상 같았다. 남들은 빨리빨리 즐겁게 음미하는 일상을 소아 혼자만 최하의 속도로 누리고 있었다. 소아의 인생에 길고 긴 그림자가 드리웠고, 그것은 좀처럼 흐릿해질 기미를 보이지 않았다.

길고 길던 적막은 예기치 못한 일로 손쉽게 무너지고 말았다. 눈이 녹아내리던 그 날 역시 소아는 자취방에서 고시 공부에 매진하고 있었다. 눈이 녹아내리며 같이 뚝뚝 떨어지는 고드름의 물기가 정말 겨울이 끝나감을 알려주고 있었다.

소아는 자취방에 있는 조그마한 창문을 쳐다봤다.

송송 맺힌 눈가루가 창문 틈에 남아 늦겨울을 장식하고 있었다.

소아는 왜인지 기분이 좋지 않았다. 봄이 다가오고 있었기 때문이다. 그 무렵의 소아는 봄을 좋아하지 못했다. 아름다움의 절정을 꾸미는 화려한 하늘이, 분홍빛으로 물든 세상에 걸맞게 사람들 사이에 핀 발그레한 분위기가, 무엇보다 많은 사람들이 나들이를 위해 밖으로 행할 때 혼자 방 안에 틀어박혀 있는 자신이, 너무도, 너무나 보기 싫었다. 빛이 있으면 어둠이 대조되어 보이듯이 봄과 소아는 대조되는 존재였다.

소아는 방에 달려있는 암막 커튼으로 자신의 방의 모든 불빛을 차단했다. 어두운 낮의 공허가 제법 마음에 들었다.

그리고 그날 저녁, 소아의 인생을 송두리째 바꿔놓은 그 사건이 그녀 앞에 냉큼 다가왔다. 온종일 꺼두던 핸드폰을 저녁 12시가 돼서야 겨우 확인했던 게 화근이었다.

늘 그렇듯이 늘 늘지 않는 공부를 반복하던 소아가 아주 잠시, 아주 잠시 눈을 돌리려 했을 참이었다. 핸드폰을 켠 소아는 놀람을 피하지 않을 수 없었다. 핸드폰에 울려댔던 수많은 전화 기록들과 친구도 없는 소아에게 올 리가 만무한 수많은 메시지들. 무음으로 설정해놔 들리지 않았던 알림들이 소리 없이 소아에게 급격히 다가왔다. 그리고 소아는 마주했다. 그 수많은 메시지의 주어를 마주했다.

그 주인공은 소아의 어머니, 아버지였다. 소아의 부모님의 이름이 여느 메시지에나 빼곡하게 늘어져 있었다. 마주하고 싶지 않은 상상 속에나 있을 법한 소설만 같은 일이었다. 물론 긍정적인 방향은 전혀 아니었다. 소아 같은 평범한 인생에 행운이 찾아올 확률은 거의 없으니 말이다. 소아는 그 상태로 몇십 초간 아주 긴 좁은 시간을 멈춰있었다. 그녀는 도무지 이 상황을 가늠 잡을 수 없었다. 그저 멍한 기억이, 멍한 마음으로만 남아 애써 상황을 판단하려 뇌를 굴리고 있을 뿐이었다.

제대로 된 사고가 가능해졌을 때, 소아의 몸은 이미 부모님이 계신 병원을 향해가고 있었다. 최대한 빠르게, 최대한 차분한 마음으로 달려갔다. 끝나지 않길. 마지막이 고작 이런 게 아니길. 서둘러 택시에 올라탄 소아는 그 안에서 한참이고 소원을 빌었다. 대게가 후회에 미련을 담고 있던 바램들이었다.

병원에 도착했을 때는 이미 모든 게 끝나버린 뒤였다.

사인은 교통사고였다. 딸 얼굴 한 번 보겠다고 무작정 서울로 닥치고 올라오던 애틋함의 결과물이었다. 그렇게 소아의 제대로 된 일상은 처절히 붕괴되었다.

하늘은 무심하게도 소아의 마음 따윈 고려해주지 않았다. 울컥울컥 쏟아지는 깊은 우울감을 추스를 새도 없이 소아는 현실을 직면해야 했다. 그 시작은 본가에 있던 레오를 홀로 떠맡게 된 것부터였다.

소아의 부모님은 항상 소아를 믿고 의지해주었다. 소아는 학창 시절 소위 말하는 모범생. 그 자체였다. 밝고 명랑한 모습에 지나친 친절함과 빼놓을 수 없는 성실함까지. 멀리서 보면 완벽한 수준의 아이였다. 그리고 소아는 그 값진 노력 끝에 결국 좋은 대학에 가는 걸 성공했다.

대학교에 붙었을 때 기뻐하던 부모님의 모습은 아직도 가끔 소아의 기억에 남아 미소를 머금게 해주었다. 그렇게 뭐든 알아서 척척 잘해오던 소아였기에 소아의 부모님 역시 소아를 굳건히 믿고 정결한 지원을 꾸준히 해주었다. 명문대를 당당히 입학한 딸이 못 할 일이 뭐가 있겠나…. 싶었겠지.

그런 생각을 가졌던 건 소아 또한 마찬가지였다. 그리고 그 결과는 정확하고 깔끔한 문장이 되어 소아의 모습을 초라하게 정의해주었다.

소아의 부모님은 항상 소아를 믿고 의지해주었다.

소아는 학창 시절 밝고 명랑한 모범생이었다. 지나

친 친절함과 성실함에 결국 명문대에 입학한 완벽한 아이였다.

대학교에 붙었을 때 기뻐하던 부모님의 모습은 아직도 가끔 소아의 기억에 남아 미소를 머금게 해주었다. 그렇게 뭐든 알아서 척척 잘해오던 소아였기에 소아의 부모님 역시 소아를 굳건히 믿고 꾸준히 지원해 주었다.

그리고 모든 게, 그 모든 게 소아만을 위한 일이었다. 모든 이유가 소아, 자신이었다.

소아는 돌아온 자취방에서 고요히 눈물을 참아냈다. 너무도 비정하고 무심한 외침이었다. 적막 속에 혼자 외로이 훌쩍거리는 그녀는 더욱이 창밖의 늦겨울과 닮아 보였다.

봄이 오지 않았으면 했다.

　"왈왈왈와 러.ㅑㅇ 러 어라 알아 알아 어라어라어ㅑ
러아러ㅑ어ㅑㅇ"

　'뭐지, 어디서 개소리가 들리지?'

　이곳은 어딘가 울적한 공간이다. 애초에 죽은 자들
의 공간이란 쾌활할 수가 없다. 여기까지 오는 데 많
은 절차가 주어지지만, 자기가 죽은 걸 체념하고 곧
이곧대로 받아들일 수 있는 인간이 어디 흔하겠나.
때문에 이곳 칸스텔은 항상 적막하다. 아니, 적막이라
기보단 예민하다. 모두가 신경을 곤두세우며 서로의
눈치를 보는 곳. 눈물을 흘리면 흘렸고 화를 내면 화
를 냈지 웃는 인간은 코빼기도 찾아볼 수 없는 곳이
었다. 어쩌면 이곳의 분위기에 그녀까지 잡아먹힌 걸
수도 있다.

　D-982는 생기 하나 없는 얼굴로 주어진 업무만 기
계처럼 해나가고 있었다. 그때 어디선가 개가 짖는
소리가 들려왔다.

무릇 침묵이란 깨질 때 그 소리가 가장 큰 법이다. 더군다나 이곳에서 들리면 안 될 소리면 더욱더. 펄쩍 뛰어다니는 덩치 큰 강아지는 삽시간에 모두에게 주목받고 있었다. 여태까지 겪어본 적 없던 돌발 사고에 이곳에 있는 모든 아스트들이 방황하고 있었다. 그때였다.

강아지가 방향을 틀어 D-982에게로 달려들었다. 아주 잠깐 사이에 일어난 일이었다. D-982는 도망갈 틈도 없이 꼼짝없이 강아지에게 길을 가로막혔다.

늘 똑같던 반복적인 삶, 오히려 깊은 생각과 고뇌가 더 독이 되는 세상. 어느덧 D-982는 그런 칸스텔에 완벽히 섞여 있었다. 똑같은 패턴들에 완벽히 적응해있던 그녀에게 이러한 변수는 생각보다 크게 다가왔다. 그녀는 머리에 아무 생각이 들지 않았다. 말 그대로 패닉 상태였다.

D-982는 눈을 질끈 감았다. 혹시라도 이 개가 자신을 물까 무서웠다. 강아지의 발소리는 점점 가까이 들려왔다. 머릿속이 하얘졌다.

***

"왈왈왈왈왈왈왈왈"

'어라…? 왜 물질 않지?'

D-982는 눈을 꼭 감고 자신도 모르게 상대를 막는 자세를 취했다.

그렇게 몇 초가 지나갔을까. 강아지는 진정이라도 된 건지 이내 시끄럽게 계속 짖어대던 소리를 멈췄다. 계속 힘을 주고 있던 D-982의 눈은 상황이 궁금하기라도 한 건지 스르르 힘이 풀렸다. 모두가 그녀를 쳐다보고 있었다. 평소의 D-982라면 얼굴이 빨개져 급히 이 자리에서 도망치려 했을 텐데. 그런 생각을 하기엔 지금 D-982의 신경은 온통 이 강아지에게 쏠려있었다. 서둘러 강아지에게로 시선을 돌렸다.

'이 강아지, 멀리서 보았을 때도 느꼈지만 덩치가 엄청나게 크네.'

가끔 이곳을 찾아오는 어린이들과 비교했을 때도 두 배 정도는 큰 덩치였다. 아니, 어쩌면 D-982 자신과도 맞먹을 덩치다.

칸스텔 전체를 소란스럽게 했던 조금 전 사태의 주범이 맞는지 무색하게 강아지는 방금의 모습은 온데간데없이 순해진 상태였다. 강아지는 갑자기 D-982의 다리에 자신의 얼굴을 부볐다. 너무 순한 모습이 조금은 귀엽기도 했다.

D-982는 이렇게 순한 애가 방금까지 왜 이리 난동을 부렸는지 조금 궁금해졌다. 그녀는 도대체 무슨

자신감인지 방금까지 무서워했던 강아지의 머리를 쓰다듬어주었다. 그러고는 강아지와 눈높이를 맞춰 쭈그려 앉았다. 가까이서 보니 더 예쁘게 생긴 강아지였다. 강아지의 얼굴은 왠지 모르게 경직되어 있었고 어딘가 애처로워 보였다. D-982는 사람에게도 잘 느끼지 못할 동정심이 동했다. 그때였다.

D-982의 패드에 알림이 울렸다. D-982는 새로운 손님이 누군지 짐작할 수 있었다. 그녀는 서둘러 패드를 확인했다.

이름 오레오
나이 13세
2등급
사망원인 자연사

.

.

.

D-982가 맡는다.

D-982는 뻘쭘했다. 왜 이렇게 짖어대나 했더니, 나를 찾으러 온 거였구나. 이유 모를 행동의 실체를 알게 되자 약간의 긴장이 풀렸다. 그때였다.

"안녕하세요…?"

소리도 없이 금세 그녀를 따라온 강아지, 레오가 긴 정적을 깼다. 무방비 상태의 D-982는 갑자기 들려오는 소리에 적잖이 당황했다. 강아지의 입에서 사람의 말이 흘러나온다니. D-982는 말이 되지 않는 상황에 말문이 막혔으나 이내 담담히 받아들였다. 참으로 신기한 일이다. 살다 살다 강아지랑 언어로 소통하는 날도 오고 말이다. 하지만 그런 것에 놀라 까무러치기엔 D-982는 이미 그런 상황들을 너무 많이 마주하곤 했다. 애초에 이곳 칸스텔 자체가 말이 안 되는 일이니까 말이다.

이승에 사는 인간들은 저마다 각자의 신을 숭배하고 소원을 빌지만, 진짜 이런 사후세계가 있는 줄은 누가 알까. D-982는 침을 꿀꺽 삼키곤 침착하게 말을 내뱉었다.

"크큼. 안녕? 나는 D-982라고 해. 여기가 어딘 지는 혹시 아니?"

D-982는 최대한 목소리를 가다듬어 침착한 저조로 말을 건넸다. 손님이 인간이든 개이든 일단 인테인이고, 자신의 손님인 이상 적절한 친절함은 필수이니. D-982는 자신에게 돌아올 대답을 조용히 기다렸다.

"....? 너 왜 나한테 반말하냐????"

담담히 돌아올 대답만을 기다리던 D-982는 예상치 못한 응답에 제대로 쳐다보지 않았던 강아지의 얼굴을 다시 마주했다. 이 순한 얼굴에서 나오지 않을 법한 말투에 괴리가 느껴졌다.

"....??"

차분하게 적절한 페이스를 조절하던 D-982는 그 순간부터 고장 나기 시작했다. 어찌나 당황했는지 순간 마음속에서 새어 나오는 물음표를 입으로 그대로 내뱉어 버리는 실수를 저질렀다. 그때 레오가 D-982의 주어 없는 물음표에 딴지 걸듯 대답했다.

"네가 먼저 반말했으니까, 나도 반말해도 되지?"

갈피를 못잡겠는 레오의 흐름에 D-982는 속절없이 흔들렸다. 너무도 빠른 대화의 진도에 D-982는 주도권을 빼앗겼다.

"으...응.. 그래."

D-982는 이번 역시 떨떠름한 어투로 레오의 말에 대답해버렸다. 침착함을 잃지 말자, 라는 자신의 원칙은 벌써 까먹은 듯했다. 속사포 같은 질문에 뇌리를 거치지도 않고 내뱉은 D-982의 말에는 자아가 다분히 담겨있었다.

하지만 거절할 수도 없는 질문이었다. 생각해보니 먼저 반말을 한 건 자신이 맞았다. 강아지라는 이유만으로 너무 만만히 생각했던 것이다. D-982는 자기 자신이 조금 부끄러웠다. 스스로 다정함을 잃지 말라 다짐했으면서 정작 제일 중요한 철칙을 지키지 않았다니. 인테인에게 그런 지적을 받은 것부터 아스트의 본분을 지키지 못한 것이나 다름없었다. 그리고 그런 자신의 실수를 정확히 집어 준 레오에게 조금 창피스러웠다.

"그래. 음…. 여기가 어떤 곳인지는 대충 듣긴 했는데 잘 이해하진 못했어. 그러니까 여기가…. 뭐 천국 비슷한 거라지? 그럼 나는 여기서 뭘 하면 돼?"

D-982는 얼굴이 조금 달아올랐음을 느꼈다. 레오를 마주할 면목이 없었다. 그러나 레오는 달랐다. 어쩌면 사람인 자신보다 이 강아지가 더 세상 이치를 잘 아는 듯싶었다. 시원시원하고 깔끔하게 흘러가는 대답이, 오히려 더 D-982를 당황하게 했다.

레오는 침착함을 잃지 않고 D-982에게 또박또박 말을 건넸다. 시비조로 계속 이야기를 이어가는가 싶더니, 하고 싶던 말을 끝낸 이 강아지는 처음 D-982가 물었던 질문들에 친히 대답해주고 있었다. 이 강아지에게서 느껴지는 연륜에 D-982는 약간의 벅참을 느꼈다. 자신이 놓치고 있던 초점을 레오가 다시 붙잡아 준 셈이었다. D-982는 이번에야말로 자신의 본분을 잊지 않고 정교히 말을 건넸다.

"이곳 칸스텔에는 너 같은 인테인들이 선택할 수 있는 길이 두 개가 있어. 하나는 환생을 위해 이곳에서 일자리를 구하는 것. 또 다른 하나는 너를 닮은 별을 만들어 너에게 안식처를 선물해주는 거야. 너는 2등급이니 환생을 하기 위해선 3개월이라는 시간을 이곳에 투자해야 하지.”

 D-982는 이제는 입에 붙은 말을 최대한 이해하기 쉬운 어조로 레오에게 설명해주었다. 레오는 그녀의 말을 이해한 듯 고개를 천천히 끄덕거리더니 이내 조그마한 질문을 되물었다.

 “별이 되면 환생은 다시 못하는 거야?”

 레오의 질문에 D-982는 대답했다.

 “응. 그 대신 환생을 위해서 일을 해야 할 필요는 없어지지. 자, 여기 두 가지 중 너는 어떤 길을 선택할래?”

***

나른한 햇볕이 풍성이는 아침이었다.

"…. 그래. 그동안 수고했어."

어쩌면 익히 짐작하고 있던 상황일지도 모르겠다. 평소 지각 몇 번 한 적 없고 항상 제 할 일은 착실히 했던 터라, 깐깐한 팀장의 눈에도 좋게 점찍은 직원이었다. 그런데 최근 들어 그 부지런한 직원이 제때 쓰지도 않던 연차를 몰아 쓰곤 돌아와서도 주야장천 죽상이지 않던가. 무슨 일이 있는 건 분명하겠다 싶더니, 이렇게 물어보기도 전에 회사를 떠날 줄이야.

"소아씨 혹시 무슨 일 있는 건 아니지? 괜찮은 거야?"

팀장은 커다란 컵에 자신의 유자차를 담아 소아에게 건네주었다. 그녀를 붙잡을 수 있겠단 생각은 이미 추호도 없었다.

"그런 거 아니에요. 그냥.. 쉬고 싶어서요."

소아는 역시나 그런 팀장의 아부를 단칼에 잘라냈

다. 너무도 단호박 같은 그녀의 모습에 팀장은 말을 이어낼 수 없었다.

　"…. 그래."

　둘은 그 자리에서 아무 이야기도 나누지 않았다. 그저 팀장님이 준 유자차를 다 마실 때까지, 하릴없이 시간을 소비했다.

　최대한 빨리 마셔보려 해도 그새 너무 두꺼워진 목구멍이 그 뜨거움을 견디질 못해서, 목이 타는 심정으로 후루룩 재빨리 삼켰다. 뜨거운 걸 잘 마시지 못하는 자신이 원망스러운 순간이었다.

　".. 그래서. 이야기해 주면 안 돼요?"

　긴 정적을 깨고 팀장님은 짧게 말을 건넸다.

　"사람 마음이란 게 참 특이해요. 어떤 고민들은 혼자 간직하는 게 세상 편하고. 또 어떤 고민들은 털어놨다는 사실 하나만으로 엄청 가벼워져. 이상하지 않아요?"

　맞는 말이다. 말의 무게들은 다들 크기가 너무 제각각이었다. 세상 가벼울 것 같이 굴다가도, 막상 조그마한 일침 하나에 크게 상처받기 일쑤였다. 몸무게를 알 수 있는 체중계가 있듯이, 말의 무게를 알 수 있는 저울이 있다면. 과연 사람들은 조금 더 갸륵한 세상에서 살 수 있었을까.

"아무한테도 말 안 해. 사실 소아씨 그만두면 우리 이제 모르는 사이잖아. 털어 놓을 사람 정 없으면 나한테 말해도 돼요."

팀장님은 자꾸만 부드러운 말투로 소아를 파고들었다. 자꾸만 입이 근질거렸다.

....

*

그날은 그런 날이었다.

보랏빛 하늘엔 구름이 만개했고, 차가운 공기는 날 쓸쓸히 녹이고 있었다. 점점 어두워진 하늘이 그 형태를 알아보기조차 희미해진다. 해와 멀어지는 하늘 대신 가로등이 하나하나 켜지며 길을 대신 안내해주고 있었다. 쌀쌀한 바람을 맞이하며 위태위태 흔들리는 나무들에겐 푸른 빛이 감돌았다. 가로등 주변엔 날파리 떼가 가득하다. 그들은 모두 하나뿐인 빛을 탐내며 더럽히고 있었다.

"다녀왔습니다."

소아 역시 평소와 별반 다를 것 없었다. 자신의 규칙에 맞게 본인의 귀환을 알렸다.

"……"

하늘이 유달리 보라던 하루였다. 가까이 휘날리는 바람이 너무 선선해서, 오히려 쌀쌀맞은 날씨였다. 그 느낌이 좋아 오는 내내 사뿐한 걸음걸이로 가볍게 걸어왔다.

레오는 최근 들어 소리를 지르는 일이 부쩍 줄었다. 다른 강아지보다도 많은 나이에도 눈 하나 깜빡이지 않고 내내 짖어대더니. 더 이상 들을 수 없는 레오의 목소리에 가슴이 웅크려지기도 했다. 자꾸만 늘어가는 앓는 소리에 동물병원이 방문하는 횟수 또한 급격히 증가했다.

그렇기에 소아는 조금씩 어림짐작해왔다. 별로 믿고 싶지 않은 사실이, 너무나 현실성을 띠고 있었다.

소아는 순간적으로 이상함을 감지했다. 오랜 기간 깊숙이 파묻혀놓았던 불안감이 급습했다. 알게 모르게 숨겨놨던, 때 묻지 않은 감정이었다.

소아는 서둘러 신발을 벗곤 레오의 방으로 향했다. 잽싼 마음에 당장이라도 넘어질 것 같았다. 길지도 않던 복도가 유달리 길게 느껴졌다. 그저 한시 빨리 믿고 싶지 않은 사실을, 확인하고 싶지 않을 뿐이었다.

사실, 오늘 아침부터 레오는 유달리 이상했다. 최근 들어 부쩍 조용해지긴 했지만, 오늘은 소아가 출근하는 시간까지도 일어나지 않았다.

원래였다면 항상 그녀 옆에서 항상 그녀와 같이 잠들곤 했는데. 엿새 전부턴 자꾸만 제 방에 있는 조그마한 침대에서나 잠들고.

그런 레오를 보는 소아 역시 마음이 답답했다. 레오의 고통을 어떻게 할 수 없는 자신이 미웠다. 차라리 이 아이에게 제 수명을 반절 떼어줄 수 있었다면. 이 아이와 한날 한시에 같이 눈을 붙일 수 있었다면 얼마나 행복했을까.

소아는 연신 기침을 내뱉었다. 콜록, 콜록, 목을 괴롭히는 기침을 한 마디씩 토해낼 때마다 점점 열이 올랐다. 마음이 불쾌했다.

레오는 숨 쉬지 않았다. 움직이지 않았다.
그에게서 아직 떠나지 않은 자그마한 온기들만이 그 주위를 남겨주었다. 눈을 감은 채 곤히 정지해있는 레오가, 너무 안쓰러워 숨이 턱 막혔다.

*

모든 걸 잃었다. 몇 년 전까지만 해도 너무 멀쩡하게 살아있던 삶이 무색한데, 지금 이렇게 소아 혼자만 여기 앉아있다.

소아는 조금 억울했다. 상승곡선 하나 없이 내리막 길뿐인 삶에 도대체 몇 번의 방지턱을 더 겪어야 하는지. 주야장천 버티다 보면 어느덧 행복에 가까워질 거라, 힘든 순간마다 계속 되뇌어왔다.

그리고 오늘 맞이한 또 한 번의 방지턱. 소아는 숨 쉬지 않는 레오를 속절없이 쳐다봤다.
또한 부질없고 의미 없었다.
깊은 여운이 똑같은 물음표를 되짚는다.
코끝이 지독히도 시린 그 날, 하늘이 독특하게도 보라던 그날, 레오는 이 세상의 별이 되었다.

***

"나… 별자리로 할래."

레오는 멍하고 또렷한 목소리로 중얼거렸다. 아직 미처 익숙해지지 못한 말하는 강아지에, 조금 괴리가 들기도 했다.

"아… 알겠어."

D-982는 서둘러 환한 미소를 머금었다.

"별이 되기 위해선 절차가 필요해. 간단한 거야."

"뭔데?"

"너의 삶에서 가장 행복했던 기억 3개. 그 3개 중에서 하나의 기억을 토대로 별자리를 만들어."

"행복했던.. 기억."

레오는 문득 생각했다. 흩날리는 바람이 너무 잔잔했다. 소아와 함께할 때면 항상 날씨가 영 별로였는데. 물론 그런 거센 바람이 그녀와의 추억을 더 부드럽게 풀어주곤 했지.

'소아…. 소아….'

레오는 짧은 한숨을 뇌리에 들이밀었다.

행복했던 기억이라.

삶을 추억할 수 있는 소중한, 이상적인 천국만의, 과연 칸스텔만의 방법이다. 나도 모르는 내 극한의 감정을, 이렇게 다시 마주할 수 있다니. 너무나 낭만적이고, 너무나 이기적인 방법이다.

하지만 레오는 그런 이기적인 방법을 택하고 싶었다. 살아생전 소아에게 작별 인사도 제대로 해주지 않았다. 지금쯤 소아가 어떻게 지낼지는…. 안 봐도 뻔한 성정이었다.

그런 그녀를 추억으로나마 다시 마주하고 싶었다면, 너무 이기적인 걸까.

레오는 그런 그녀에게 자신의 마지막을 선물해주고 싶었다. 자신이 떠나고 슬퍼하는 그녀의 곁을, 저 멀리서나마 어두운 빛으로 밝혀줄 수 있다면.

*

"좋아. 행복했던 기억. 뭔지 궁금하다."

침묵을 지키던 레오가 이내 입을 열었다.

"잘 선택했어. 자. 가자. 따라와"

D-982는 그런 손님의 결심이 바뀌지 않게, 잽싸게 영상실로 이동했다.

"근데…. 왜 별이 되기로 결심했어?"

예의상 뱉은 질문엔 몇·가지 뭉뚱그려진 궁금증이 뒤섞여 있었다. 허를 찌르는 대답 한 번에 대기하고 있는 질문이 십수 개가 넘었다.

"…나 말고 별자리를 선택한 다른 사람들도 있어?"

영 딴판의 대답이었다. 도무지 레오의 의중을 알 수 없었다.

"…응. 많지."

D-982의 눈엔 지금까지 그녀를 거쳐 간 수많은 사람이 떠올랐다. 각자 각자의 사연을 가지고, 각자의 연민이 두껍게 엉켜져 그것이 해소되기만을 기다리는. 대부분 살아있는 지인들에게 미련을 가진 사람들이었다. 그리고. 이 아이 또한 마찬가지겠지.

D-982는 레오를 힐끔 쳐다봤다. 부드럽고 거대한 황금색 털이 인상적이었다.

"그 사람들은 왜 별이 되려 했을까… 결국 또한 반복될 것을. 무엇이 되고 싶어서 그런 걸까."

레오가 나지막한 소리로 혼자 중얼거렸다.

레오는 생각했다.

그리고 이해하지 못했다.

아직은 그랬다. 그런 어지러운 마음을, 눈앞을 대기하는 기억들만으로 해소할 수 있을까.

*

"…빨리 보자. 보고 싶어졌어….”

어딘가 급해진 레오의 모습에 D-982 또한 덩달아 급해졌다.

D-982는 흘러내리는 땀방울 사이로 침을 꿀꺽 삼켰다. 레오의 기억을 함께 관람할 준비를 끝마쳤다. 가벼운 호기심과 무거운 동정심이 그녀 안에 들끓었다.

***

첫 번째 기억

주위를 둘러보면, 그들은 옆에 없다. 느끼지 않아도 스며들어 뭉클함을 자아낼 수 있던 존재였다. 그런 부모님과 더 이상 정겨운 대화 몇 마디도 나누지 못하고, 그들의 목소리 같은 잔재들을 점점 잃어버린다.

제아무리 뒤져봐도 찾을 수 없는 엄마의 목소리가, 아빠의 온기가, 그 짧은 음성들이, 주변의 모든 순간을 굳혀버렸다. 헛되고 희망찼던 보람이 그저 자기합리화였을 뿐이라고. 결국 어떤 결실도 맺지 못한 거라고.

그렇게 정체된 삶에서 그녀는 머물러있었다. 어떤 노력도 하지 않으니 어떤 보상도 주어지지 않았다. 이대로 있다간 얼마 남지 않은 나머지마저 전부 사라질 기세였다. 하지만 그녀는 그 나름대로가 오히려 좋았다. 그저 아무것도 하지 않는 게 제일 편안했다. 그저. 그렇게. 가만히.

몇 날이 지났을까. 며칠이 흘렀을까. 소아의 몸은 순식간에 불구덩이가 되었다. 몸살 기운이었다. 평소 건강한 몸에 느껴본 적 없던 아픔인데. 몸이 뜨겁게 달아올랐고, 쉽사리 오한이 서렸다. 모공을 울부짖는 식은땀이 요 며칠간 씻지 않아 잔뜩 기름진 소아를 더욱 기괴하게 만들었다. 소아는 혼자 계속이고 숨을 헐떡였다. 아픈 자신을 돌봐 줄 간병인조차 없다는 사실이, 때로 그녀를 더 아리게 만들었다. 그때였다.

*

생각해보면 레오는, 항상 그랬다. 소아에게 레오는 소중한 존재였지만, 가끔은 당연한 존재였다. 그도 그렇게, 둘은 너무나 많은 시간을 함께해왔다. 소아가 시험을 망쳐 하루종일 울상인 표정을 지었을 때도, 반장이 되어 기쁜 마음에 자랑했을 때도, 그녀의 부모님이 돌아가신 날에도.

레오는 항상 소아의 곁을 지켜줬다. 때로는 그 일관적인 미소가 너무도 당연해져 귀찮기도 했다. 하지만 그 일관적인 꾸준함이, 소아에게 레오라는 존재가 없어선 안 될 이유이기도 했다. 힘든 날에도, 기쁜 날에도. 레오는 항상 그녀를 지켜주니.

레오는 항상 그런 뜻밖에 순간에 소아를 유지시켜줬다. 그런 레오가 마치 초콜릿을 중탕할 때 쓰는 뜨거운 물과 닮아 보였다. 녹슬지 않는 그 목소리가, 때 묻은 감정들을 전부 녹여냈다. 자신의 온기를 내어줘 있는 힘껏 초콜릿을 녹인 수돗물은, 뜨겁진 않지만 차갑지도 않았다. 온기가 느껴지진 않지만, 초콜릿을 가득 품어주는 수돗물이 자신을 품어주는 레오와 닮아 보였다. 만드는 사람에게 있어서 그 수돗물은 매우 쓸데없는 재료에 불과하지만, 그 모든 과정의 시초가 그의 온기였으니. 그렇게 수돗물이 초콜릿을 녹이고 녹이다 보면, 어느덧 녹은 초콜릿과 녹인 수돗물의 온도가 같아지고, 초콜릿은 비로소 굳혀질 준비를 하는 것이다.

레오는 끙끙 앓는 소아의 곁을 계속 지켰다.

레오는 소아의 땀을 핥으려다 흠칫 놀랐다. 마치 주머니에 넣어놨더니 알아서 엄청 뜨거워진 핫팩처럼, 그녀의 몸은 심각하게 뜨거웠다. 소아의 열이 레오에게 전해지는 것만 같았다. 그녀의 상태가 매우 심각하다는 건 가히 짐작 가능했다.

　레오는 듬뿍 흐르는 땀을 핥아주고, 그녀의 생사를 알기 위해 작은 소리로 짖어댔다. 귀를 간지럽힐 정도로 아주 조용히 짖어대는 작은 목소리가, 그녀를 걱정하고 있어요, 라고 말해주는 것 같아 따뜻했다. 소아는 그제서야 편히 눈을 붙일 수 있었다.

*

　달콤한 꿈에서 깨듯이 눈을 떴을 때 소아의 눈에 가장 먼저 들어온 것은 자신 주변을 계속이고 두리번거리는 레오였다.

　창백할 정도로 하늘이 파랬다. 온통 회색빛으로 물든 새벽녘의 시간이었다.

　소아는 이 모든 것이 다 우습기만 했다. 지금까지 공들여왔다고 굳게 믿은 탑이, 고작 바람 하나에 지진이라도 난 듯 전부 소멸됐다. 아무것도 남지 않은 그녀가, 이제 정말 세상을 떠나기라도 할 것처럼. 모든 생활에 전전긍긍하던 모습이 무색했다. 그런데, 왜일까. 고작 이딴 것도 이루지 못한 나인데, 마음이 너무 아렸다. 아픈 상처가, 마치 거대한 파도인 마냥 너무 뜨거웠다. 소아는 그런 자신이 너무 우스웠다. 못 견디게 우스워 피식피식 웃음이 나왔다. 터지는 메마르고 차가운 실소를 참을 수 없었다.

"하하,하하하하하."

소아는 그 상태로 계속이고 웃어댔다. 웃음이라 치기엔 생기 하나 들어있지 않고, 웃지 않는 다 치기엔 되려 무서울 지경이었다. 메마름에서 우러나오는 그저 껍데기뿐인 웃음이, 계속이고 그녀 주위를 맴돌았다. 소아는 그렇게 계속이고 웃어댔다.

*

레오는 갑자기 귀신이라도 들린 마냥 실실 웃는 제 주인에 소름이 끼쳤다. 점점 망가져 가는 그녀를 볼 때마다 마음 깊숙이 날카로운 낙서들이 새겨지는 것 같았다. 돌이킬 수 없을 정도로 커져가는 상실감을 제때 붙잡아주지 못한 것에 책임이 컸다. 더 이상 그녀를 이렇게 두고 싶지 않았다.

레오는 소아의 옷깃을 붙잡았다. 그리곤 소아의 웃음소리보다 큰 소리로 짖어댔다. 갑자기 뜬금없는 행동에 의아함이 자아났다. 소아의 웃음에 생긴 공백이, 방 안의 공기를 미묘하게 감쌌다. 레오는 그 상태로 소아를 바깥으로 떠밀었다. 강제성 섞인 태도에 소아는 그대로 이끌려갔다.

*

헐떡이는 숨을 겨우겨우 참으며 소아는 레오를 따라갔다. 아무리 쫓아가도 멈추지 않는 레오를 놓치면 안 될 것 같아서, 달리기를 멈출 수 없었다. 텅텅 빈 안개가 내뿜는 여린 풀잎의 이슬이 툭툭, 고요함을 더욱이 잠재웠다. 사람 하나 없는 새벽의 허점에 소아와 레오, 그 둘만이 존재했다.

　소아는 달리고 달렸다. 추위와 굳은 근육이 완벽한 조화를 이뤄 그녀를 수그러뜨렸다. 겨우 몸을 이끌고 어린 애의 보폭과 다르지 않게 종종걸음을 헉헉대며 뛰었다.
　달리면서 소아는 생각했다. 아니, 생각하지 않았다. 너무 오랜만에 하는 뜀박질이었다. 다리가 조금씩 저려왔지만, 자신에 속도에 못 이겨 앞으로 향할 때마다 멍해지는 머리가 제법 상쾌했다. 소아는 코가 막혀 따끔따끔거리는 목으로 쌕쌕대기를 반복했다.
　달리는 기분이, 이렇게 상쾌했나. 아무것도 생각하지 않고, 오롯이 앞으로만 향하는 발걸음이 어쩐지 경쾌했다. 그저 앞으로만, 앞으로만 향했다.

　"레오야, 야!! 오레오!! 좀 멈춰…!!"
　아무리 소리를 질러도 레오는 멈출 기미를 보이지 않았다. 소아는 결국 자신의 체력에 못 이겨 어영부

영 멈춰 섰다. 헉헉거리며 내뱉는 숨이 너무 버거웠다. 도무지 몸을 가만히 냅둘 수 없이, 코로 숨쉬기도 벅차 입으로 숨을 폐 끝까지 들이마셨다.

레오는 저 멀리서 아직까지도 펄펄 날뛰고 있었다. 나이를 그리도 먹었으면서, 쟤는 지치지도 않나 보다. 소아는 그런 레오를 분한 표정으로 노려봤다. 묘한 기분이다.

오랜만이었다.
레오랑 이렇게 산책을 나왔던 게 얼마 만이었더라. 새삼 그동안 아무것도 하지 않은 사실이 실감이 났다. 소아는 그날 이후 그 시간대에 멈춰있었다. 아무것도 하지 않으니 저장되는 기억이 없었다. 그저 그날이 어제인 것만 같이 계속이고 착잡함을 야기할 뿐. 그렇기에 잊고 있었다. 모든 자신을 잃어버려 모든 걸 잊어버렸다.

소아는 고개를 기웃거리며 주변을 스윽 훑었다. 차갑고 투명한 공기에 시야가 탁 트였다. 못 바랜 서리들이 땀이라도 된 마냥 주르륵 흘러 맺혔다. 자신이 매일같이 나오던 집 앞 강 산책로가 오늘따라 더욱 푸른 정취를 자아냈다.
여기가 원래 이렇게 예뻤나?

평소에 돌아보지 못한 결들을 하나하나 자세히 마주하니 만감이 교차했다. 소아는 느긋하고 노곤한 바람이 일렁거리는 모습을 그대로 만끽했다. 심장의 두 근거림만 온몸을 돋구게 할 뿐, 어떤 걱정거리도 기억나지 않았다. 어쩌면 집 밖을 나와 레오를 향해 전력 질주하던 시점부터, 그녀는 그 모든 걸 전부 까먹고 있었을지도 모르겠다.

한참을 뒤도 안 돌아보고 달리던 레오도 이만 걸음을 멈췄다. 레오는 몸을 돌려 그녀에게 시선의 끝을 맞췄다. 언제 여기까지 달려온 건지. 소아는 저 먼발치에 드러누워 있었다. 제대로 보지 않았다면 그대로 미아가 되었을지도 모른다.

시선 끝에 걸린 소아는 왜인지 편안해 보였다. 마치 모든 게 후련하다는 듯, 안 그래도 더러운 몸을 더 더러운 땅바닥에 눕혔다. 그 마음이 고스란히 전해져 레오 또한 들뜨게 만들었다.

"레오, 왔어?"

결국 제 주인에게 져주기로 마음먹기라도 했는지. 레오는 한참 뒤에야 소아의 옆에 돌아왔다. 소아는 다정한 목소리로 레오를 불렀다. 이곳에 나오기 전까지만 해도 짜증투성이던 말투에 따스함이 스며들었다.

레오 또한 느긋한 투로 몸을 눕혀 그녀의 옆자리에 기댔다. 둘 사이에 떠도는 적막이, 어째선지 적적하지 않았다.

　소아는 제 옆자리에 누운 레오에게 포옥, 살며시 몸을 기대 후 자신의 품에 레오를 감싸 안았다.
　레오에게서 방금까지 느껴지던 온기가 만져지지 않았지만, 소아는 비로소 미소를 머금을 수 있었다. 서로의 체온을 느낄 수 없었던 것은, 필시 그 둘의 온도가 같기 때문이리라. 초콜릿과 수돗물의 온도가 같아지던 순간이었다.

　소아는 알 수 있었다. 그리고 다시 한번 구렁텅이에서 자신을 구해준 레오가 너무 고마웠고, 소중했다. 그래서 다짐했다.
　"맞아. 레오야, 언니, 좌절하지 않을게. 그래서 날 데리고 나온 거지? ㅋㅋ. 이번엔, 진짜 진짜. 맞아. 내 인생은 아직 끝나지 않았어. 지금부터 시작이야!"

　슬며시 미소를 띠는 레오의 모습이 너무 포근했다. 입김 하나에 서리는 불안감과, 웃음 하나에 사그라지는 쓸쓸함이. 서로를 채워줘 따듯이 녹여주었다. 너무도 차가운 밤이었다.

***

"……"

첫 번째 기억을 재생한 D-982는 조심스레 레오의 눈치를 살폈다.

"그때 무슨 생각 했어?"

D-982는 레오의 표정을 가늠 잡기가 힘들었다. 하지만 그녀는 알 수 있었다. 기억을 보면 볼수록 점점 레오를 둘러싼 공기의 흐름이 바뀌어간다는 걸.

가끔은 슬퍼하다가도, 가끔은 기뻐하다가도, 가끔은 그리운 표정을 지었다. 갈피를 잡기가 힘들었지만, 그냥 납득하기로 조용히 다짐했다.

"그냥. 그냥 막 뛰었던 것 같아. 소아가 많이 힘들어했잖아. 그냥…. 그러지 않았으면 좋겠다고… 그렇게 생각했어."

"그래서 소아가 후련하다고 말했을 때, 엄청 기뻤어. 내가 조금이라도 도움이 됐다는 사실이…. 그리고 나도 뛰면서 신나기도 했고."

어두웠던 레오의 표정에 차츰 빛이 들어오기 시작했다. 슬며시 기뻐하는 그 모습이, 개와 주인의 서사를 알 것만 같아 마음이 괜히 아렸다.

"이제 다음 기억 볼까…?"

그렇게 두 번째 기억을 재생했다.

***

두 번째 기억

"…..뭐라고?"

소아는 눈살을 잔뜩 찌푸리며 그 자리에서 벌떡 일어섰다.

레오가 사라졌다.

2차 시험의 당일이었다. 겨우 붙은 1차에 방방 뛰는 마음도 잠시, 지금 이날을 위해서 허투루 쓰는 시간 하나 없이 공부만 해왔다.

"자고 일어났더니 사라져있었어. 온 곳을 다 뒤집어봐도 안 보여. 넌 혹시 짐작 가는 데 있어?"

무딘 한여름에 녹아버릴 것 같아 현관문을 열어두고 잔 게 화근이었다. 친구가 애지중지하던 그 거대한 강아지가, 온 집 안 구석구석을 헤집어봐도 보이지 않는 것 아닌가. 매일 아침 시끄럽게 떠들어댔던 레오의 빈자리가 더욱 미시감을 자아냈다. 아이러니하게도 집안의 공기가 난잡해져 있었다.

"…..내가 갈게."

혼자만으로도 벅차 감당하기 힘든 고시 공부를 레오를 키우면서 해가기엔 더욱 역부족이었다. 컨디션이 좋아 초집중해 머리를 굴리는 순간마다 왈왈, 옆

집에 들릴까 두려울 정도로 크게 짖어대는 목소리는 소아의 인내심을 붕괴시켰다.

소아는 결국 레오를 잠시동안 다른 사람에게 맡기기로 결정했다.

친척분들과는 평소 연고가 잦지 않은 탓에 부탁드리기 좀 무안했다. 아마 오래, 적지 않은 기간 동안 신세를 져야 했으니.

그렇게 겨우 부탁한 친구였다. 어렸을 때부터 같은 마을에 살아 꾸준히 연락해 왔던 단짝 친구, 지민이였다. 우리 집에 자주 놀러 왔던 터라 레오에게도 친근한 존재였다. 다행히 지민이는 애걸복걸하며 말하는 소아의 부탁을 친히 수락해주었다.

그리고 오늘 이런 일이 일어난 것이다.

*

"레오야! 어디 있어…!!!"

결국 몇 시간을 걸쳐서 뜻하지 않게 고향에 도착했다. 운전면허증은 따놓고 막상 차는 없어서 혼자 여러 버스를 환승해가며 와야 했다.

소아는 손목에 찬 시계로 계속해서 시간을 확인했다. 아침에 철저히 손목시계까지 완벽히 준비했는데, 이제 몸만 가서 시험만 치르면 될 일이었다.

하지만 소아는 시험을 치르러 가지 않았다. 자신이 가지 않으면 레오를 절대 찾지 못할 거라는 강한 직감이 들어서였다. 그렇게 무작정 내려왔다.

'이미 시작했겠네. 지금쯤이면 다들 점심 먹고 있겠다.'

오후 한 시. 노곤한 햇볕이 너무 센 투로 내리쬈다. 소아는 눈살을 찌푸리면서도 하늘을 올곧이 쳐다봤다. 점점 지나가는 시간이, 그녀를 더욱 차분하게 만들었다. 원래라면 급박해야 정상인데. 도대체 레오는 어디 있는 건지. 피땀 흘려가며 준비한 행시 시험은 응시도 못 했고, 기껏 내려온 고향은 오랜만이 무색한 채 제대로 만끽하지도 못했다.

한참을 뛰어다닌 소아는 결국 한 정자에 앉아 몸을 기댔다.

날씨가 너무 가혹했다. 조금밖에 안 움직인 것 같은데 이리도 땀이 송송 맺히다니. 뜨거운 햇볕에 짜증이 몰려오기도, 그럼에도 너무 더운 날씨에 머리가 멍해져 아무 생각이 안 들기도 했다.

소아는 가방을 열어 고이 보관해놨던 도시락을 꺼내 들었다.

원래라면 부모님이 소아의 취향에 맞춰 고소하고 깔끔하게 맛있는 밥을 만들어줬을 텐데.

아쉽게도 이젠 그 밥은 더 이상 맛볼 수 없게 됐다. 자신이 어설프게 따라 한 밥에서 엄마의 향수가 떠돌 뿐. 아직도 이따금 생각나는 김치찌개의 칼칼함이 이제는 점점 희미해진다.

어설프게 무릎을 오므린 후 그 위에 싸 온 도시락을 올렸다. 도시락에서 내뿜어지는 열기가 그녀에게 자꾸만 시비를 걸었다. 소아는 비닐봉지에 싸 온 숟가락과 젓가락을 꺼냈다.

조촐하고 깔끔한 된장국과 햄을 볶아 만든 비빔밥이었다. 비주얼은 영 형편없었지만, 맛은 있었다.

*

레오를 발견한 건 그 후로부터 얼마 되지 않아서였다. 소아는 한 숟가락 듬뿍 밥을 퍼 입에 넣고 오물오물 씹으며 삼켰다. 한 입, 한 입, 그렇게 다 먹어가던 찰나, 갑자기 너무나 익숙한 소리가 들려오는 것 아닌가. 소아는 화들짝 놀라 소리의 주범에게 고개를 돌렸다. 역시 그 끝엔 레오가 있었다.

"레오! 어디 있었어!"
소아는 서둘러 레오의 얼굴을 확인했다. 지금 이 사단을 내놓고, 어딜 싸돌아다녀서 이렇게 평화로운 건지.

너무도 해맑은 레오의 모습에 약간은 분이 나기도 했다. 그러나 소아 또한 이상했다. 현실감이 없었다. 그저 붕 뜬 기분이, 그녀를 복잡미묘하게 만들었다. 어느새 자신의 처지를 점점 소실해갔다. 아마 집에 가면 현실을 깨닫고 금세 슬퍼지겠지. 하지만 지금은 왜인지… 그저 그냥 이 상황이…. 너무나 웃겼다.

소아는 웃음을 참을 수 없었다. 지금 이 상황이 너무나 어이가 없어 실소가 마구 터져 나왔다. 하하, 내가 지금 뭘 하고 있는 건지. 너무 우스운 그 상황을 인내하기가 힘들었다. 레오 또한 세상 물정 모르게 해맑았다. 둘의 온기가 여름을 더욱 데쳤다. 소아의 실소를 머금은 바람이 소근소근 공기를 타고 흘러갔다.

그렇게 한 여름의 소동은 어설프게 막을 내렸다.

너무도 가벼운 결말이었지만, 끝은 아니었다. 오히려 시작이었다. 이젠 소아가 겪을 질책만이 그녀 주위를 맴돌았으니.

*

결국 소아는 행시 시험에 떨어졌다.

혹시나 하는 마음에 합격 발표날 내내 휴대폰을 붙잡고 있던 소아는 깊은 생각에 잠겼다.

모든 게 자신이 한 선택으로 일어난 일이었지만, 기껏 붙은 1차를 이렇게 발로 뻥 차버리다니. 가끔은 그때의 자신이 너무도 한심했다.

그리고 소아는 알 수 있었다.
이제 다시는 이 시험에 매달릴 수 없다는 것을.
　그동안 쌓아왔던 자신의 기나긴 땀방울들이 남긴 얼룩이 소아를 자꾸만 붙잡았다. 피눈물 흘려가며 밤을 새웠던 기억과, 매년 다짐하던 자신을 증명하자 했던 용기. 마지막 순간까지 그녀를 위해 달려와 주었던 부모님,,,. 그 모든 게 소아의 감정에 한을 서렸다.
　이 일들에 제대로 된 마침표 하나 못 찍고. 결국 또 하나의 다짐이 이렇게 쥐도 새도 모르게 끝맺었다.

　어쩔 땐 그 화살이 레오에게 꽂히기도 했다.
　그날 그 소동 이후 레오는 다시 소아의 집에 복귀했다.
　너무 커져 버린 분화구가 그녀를 도무지 주체하지 못하도록 만들었다. 소아는 곤히 잠들어 있는 레오를 쳐다봤다.

　충동적인 생각 또한 여럿 생겼던 것도 사실이었

다. 만약 레오가 자신이 키우는 반려견이 아니라, 서로 감정을 열변할 수 있는 사람이었다면.

만약 우리가 사람 대 사람으로 이 대화를 이어나갈 수 있었다면, 그랬다면 그녀는 지금 레오와 어떤 사이가 되어있었을까. 간단하고 명료한 해답들이 오로지 한 전제로 인해서 완벽한 부정을 자아냈다.

그녀를 무겁게 짓누르던 책임이 그녀의 허리를 부러뜨렸다. 망가진 소아는 더 이상 제 구실을 하지 못했다. 너무도 미웠다. 이 일의 원인인 레오가, 그런 레오를 미워할 수 없는 소아 자신이 너무 미웠다. 그저 가만히 원망할 수만 있었다면, 그럴 기회라도 내게 주어졌다면, 그녀의 인생은 이리 망가지지 않아졌을 수도 있다.

하지만 그녀의 마지막 남은 가족 또한 레오였다. 자신의 마지막 기회를 망친 화근이, 자신의 마지막 거처이기도 했다. 그래서 소아는 그 모든 사실을 홀로 꿉꿉히 삼킬 수밖에 없었다.

소아는 방 안 구석에서 자신의 등받이에만 의존한 채 울분을 뿜었다. 고요하고 메마른 사랑이, 너무도 미운 그 애증이 소아를 끊임없이 괴롭게 만들었다. 손금을 타고 흐르는 눈물이 툭툭, 바닥으로 떨어져 작은 얼룩을 그려냈다. 하늘이 뻥 뚫려있는 시원한

여름밤이었다.

***

　방금보다 더 무거워진 분위기에, D-982는 중심을 잃듯 의자에 몸을 기댔다.

　"….네 잘못 없어."

　"고마워…"

　적막만이 그 둘의 주위를 맴돌았다. 자신에겐 가장 행복했던 기억이, 제 주인에겐 가장 고통스러운 기억이라는 사실을 마주했을 땐…. 어떤 기분일지 감히 가늠할 수 없었다.

　D-982는 침묵을 건넸다. 레오를 향한 최선의 배려였다.

***

"…이쁘다…."

소아는 먼발치 자신의 눈에 담긴 고향을 넋 놓고 바라보았다. 그녀의 고향은 언제나 푸른 녹음을 지녔다. 그런 하늘을 바라보면, 마치 한 프레임인 마냥 온 순간이 영원으로 물들었다.

물론, 그런 감정 역시 지금의 것은 아니다.

"… 이게 뭐 하는 짓 인지. 하하."

몇 시간 째 친구를 따라 잔디밭에만 누워있던 지민이 말을 덧붙였다.

"고향까지 오랜만에 왔으면 좀 재밌는 걸 하고 살아. 너 지금 미친 것 같아."

갑자기 회사도 그만두고 고향에 내려온다 난리를 피더니. 하는 일이 뭔지 걱정돼서 따라와 봤더니 지금 이렇게 누워만 있는 게 몇 시간 째인지.

그런 맛 간 친구의 곁을 지키고 있는 것도 적잖이 당황스러운 일이었다. 아무것도 하지 않으려 하니, 뭘 할 수도 없고. 그렇다고 이렇게 사람이 망가졌는데.

뭐라 잔소리할 수도 없고….

지민은 한숨을 푹 내쉬며 소아를 쳐다봤다.

이 새파랗게 늙어버린 친구는 눈알만 굴러다니는 껍데기 같다. 소아의 텅 빈 눈빛을 쳐다보던 지민은 문득, 오소소 소름이 끼쳤다.

"언제까지 이러고 있을 건데?"

"…몰라."

"…진심?"

숨을 가다듬은 소아는 더 이상 지민의 질문에 대답하지 않았다. 그저 눈에 담기에도 너무 눈부신 하늘을, 계속. 계속. 마치 또라이마냥 계속 쳐다봤다. 대답할수록 쌓여가는 질문만 되풀이될 뿐, 둘이 얻는 이득은 단 하나도 없을 거라는 걸 익히 알고 있었다. 그걸 깨달은 지민 또한 어느 새부턴 간 침묵을 지켰다.

소아는 떨어지는 초록빛이 무성한 나뭇잎을 하나 잡아 손에 꽉 쥐었다. 너무도 끈끈한 그 나뭇잎이, 아파하는 소리를 내며 찌르르한 풀내음을 풍겼다.
모르겠다.
도무지 갈피를 잡을 수가 없다.

레오가 죽었다.

그 사실 하나만으로 그저 이렇게 회사를 박차고 나

왔다. 겨우 삶을 연명하던 낡은 동아줄을, 제 손으로 놓아버렸다.

그날 이후 소아는 정체됐다. 결코 앞으로 나아가지 않았다. 밥을 먹어도 대부분 남기기 일쑤, 하루 동안 배를 굶겨도 배고프단 생각이 들지 않았다.

눈을 뜬 상태에서 가만히 있기를 반복했다. 생산적인 활동을 해야 한다는 생각이 머리를 지배했지만, 굳이 생산적이고 싶지 않았다.

그렇게 끊임없는 공허 속을 계속이고 유영했다. 몸에 힘이 축 빠져 계속이고 늘어지는 기분.

행복하지 않았다. 딱히 우울하지도 않았다. 그저 엄청난 슬픔이 쓰나미마냥 소아의 세상을 잠깐 덮쳤다 사라진 것뿐이었다.

"모르겠어."

"행복을 위해서라면 뭔가 해야만 할 것 같잖아. 근데 내 안에 있는 행복을 몽땅 잃어버린 기분….? 아무리 긁어내 봐도 행복을 느낄 수가 없어."

"…‥"

행복하고 싶다. 하지만 행복해지지 않는다.

좋아하던 노래를 하루종일 반복해서 들어도, 그동안 너무 오고 싶던 고향에 와봐도, 먹고 싶었던 요리를 배 터지게 와장창 전부 먹어도.

행복이란 게 이렇게 거창한 거였나. 모든 뿌리의,

만약의 근원을 전부 소실한 기분이다. 툭하면 느낄 정도로 널려있던 행복들이, 숭숭 비어 텅 빈 공간을 그려낸다.

소아는 그 점이 매우 언짢았다. 예전과 똑같은 상황을 재현해내도 결코 가져오지 못하는 그때의 벅참을, 이젠 정말 아예 잃어버린 성 싶다.

"내가 왜 이럴까? 운동을 안 해서? 공부를 안 해서? 잠을 불규칙적으로 자서? 레오가 죽어서? 엄마 아빠가 죽어서? 왜지?"

이젠 그 이유조차 모르겠다. 그저 아무것도 느껴지지 않는 일상을 반복할 뿐이다.

풀잎은 여전히 무성히 솟아나고, 햇빛은 여전히 찬란하고, 나는 여기 그대로 있는데. 너는 여기 없다.

그래. 너는 여기 없다. 나만, 여기 그대로 남아있다. 하지만… 나는 계속 오늘을 살아가야 해.

＊＊＊

세 번째 기억

　'우리 소아가 어느 틈엔가 유유히 흘러, 눈 떠보니 이 세상 가장 멋진 곳에 서 있기를.'

　모든 멋진 말들은 마치 허상과 같다. 그저 자신을 속이고 내뱉는 겉 멋든 목표들은 너무 화려하고, 그 사실을 입 밖에 뱉어낼 줄만 아는 나 자신은 너무 초라하다. 소아는 그렇게 생각했다. 모든 일에 미련을 남기고, 시작을 꿈꾸던 어리석던 나에게 점점 볼품없는 사람이 되어가고, 일렁거리는 속임수들에 기꺼이 속아 매일같이 합리화만을 되새기고.

　소아는 그런 자신을 너무 잘 알았다. 그렇기에 매일같이 꼭꼭 숨겼다. 반짝거리고 예쁜 실낱같은 희망들을, 다시는 꺼내볼 수 없게 저 멀리 숨겨났다. 그 실체를 마주할 때 느끼던 허망함에서 도망치기 위해.

　그럼에도 잊히지 않는 말이었다. 어렸을 적 부모님이 넌지시 던졌던 너무나 가벼운 말이, 아직도 머릿속을 맴돌았다. 이상했다. 아무것도 아닌 그 말이, 아직도 가슴을 벅차게 만들고, 아직도 희망을 꿈꾸게 만들었다.

이렇듯 부모님은 때때로 그녀에게 작은 파동을 일으켰다.

희망들은 언제나 약간의 의심을 품고, 유유히 내 속에서 반짝거렸다. 그런 희망들을 믿으면 안된다는 걸 알면서도, 자꾸만 혹시하는. 그런 감정들이. 남은 잔재들이 덧붙이는 회상 속에, 작은 파동을 일컫었다.

그 날 역시 그런 하루였다.

*

"레오! 같이 가…!!"

"왈왈!"

한적한 주말 오후의 낮. 어린 소아는 지친 몸을 이끌고 집 밖을 향했다. 예고도 없이 무작정 나가자는 레오의 부탁을 기꺼이 받아들인 탓이었다.

"하…. 왜 이렇게 지치냐…"

소아는 잠시 멈춰서곤 숨을 크게 헐떡였다. 이 정도밖에 안 달리고도 이젠 숨이 벅차다는 사실이 참 씁쓸했다. 방금도, 자신의 속도보다 훨씬 빠르게 부대끼는 레오를 거의 놓칠 뻔했다.

장장 29세의 나이였다. 고시 시험에 떨어지고, 겨우 새로운 회사에 들어왔다. 부쩍 빠듯해진 일상에

진이란 진은 다 빠져있었다. 점점 늘어나는 하품이, 뿌드득거리는 관절 소리가, 이제 더 이상 소아가 어리지 않다는 사실을 새삼 깨닫게 해줬다.

그렇기에 평소라면 침대에 누워 나른히 늦잠을 청했을 텐데. 자신의 완벽한 루틴이 깨졌다는 사실만으로 모든 게 부쩍이나 귀찮았지만, 또 오랜만에 나가는 나들이라 그녀 또한 꽤나 들떴다.

그렇게 소아는 레오를 따라 술래잡기라도 하는 마냥 종종걸음을 옮겼다. 숨이 너무 가빠왔지만, 발자국 끝 신발 밑창에 남은 흙내음은 왜인지 산뜻했다.

*

소아는 계획적인 아이였다. 자기 루틴만을 정확히 지켜야, 비로소 완벽한 하루가 완성됐다. 심지어 레오와 함께하는 산책길까지 정해놓을 정도.

그런데 오늘은 달랐다. 지금 소아의 눈앞은 생판 처음 보는 것들로 가득하다.

"…?? 여기 어디야???"

이 길치 강아지를 길잡이로 맡긴 게 화근이었다. 계속 원래 다니던 산책길로 가자 해도, 자꾸만 도망치려 하는 레오 때문에 괜히 마음이 약해져서…. 주인이 너무 똑같은 길만 다녔나. 가끔은 색다른 장소도 필요한데 말이다.

그리고, 그런 강아지에게 은혜를 베푼 결과는 이거였다. 소아는 고개를 휘저어 주변을 훑어봤다. 완전한 무인도 같은 육지에 고립됐다.

하늘이 밝아서 망정이지, 정말 주변에 풀밖에 없다. 소아의 고향이 좀 시골이긴 하지만, 이렇게 외진 곳은 처음 와보는데.

"레오야, 여기 어디야??"

소아는 살짝 커진 동그란 눈으로 레오를 향해 작게 중얼거렸다. 당황스러운 표정을 숨기지 못한 채 주변을 두리번거리는 그녀의 눈에는 영원하고도 어색한 여름의 숲이 담겨있었다.

웅장하게 우거진 풀잎들이 무성여 향긋한 풀 향이 났다. 여름의 정의, 라고 할 수 있을 정도로 아름다운 곳이었다.

하지만 그건 중요한 사실이 아니라고!

소아는 눈을 가늘게 찌푸린 채 시계를 확인했다.

완벽한 미아가 되었다. 도대체 여기가 어딘지… 도무지 갈피를 잡을 수 없다. 이래서 계획이 틀어지는 게 제일 싫다고….

"오레오…!!! 진짜 이럴래…!! 길 잃었잖아!"

처음부터 계속 딴 길로 새는 제 강아지를 온전히 믿으면 안 됐다. 매일 너무 똑같은 길로만 다녔는지,

질렸을 수도 있다는 생각에 그냥 자기 원하는 대로 가게 놔뒀는데..!

  사실 소아는 미안했다. 레오는 너무 어른스러운 강아지였다. 장난끼가 없잖아 많긴 하지만, 자기가 원하는 걸 당최 표현을 안 하니…

  이 커다란 아이를 너무 혼자 오래 뒀나. 모든 걸 혼자 이겨내려 애쓰는 레오를 생각할 때마다 마음 한 켠이 아렸다.

  오늘도 그랬다. 또 내가 편한 것만 선택하다가 이렇게 됐잖아. 반복되는 일상이더라도 꾸준한 변화는 항상 필요하다. 그 사실조차 까먹고 레오를 그 틀에 가둘 뻔했다. 그래서 오늘은 레오가 원하는 길에 태클을 걸지 않고 묵묵히 따라왔다.

  물론…, 결과는 이렇게 됐지만.

                         *

  정처 없이 숲을 떠돌던 소아는 발걸음을 멈췄다.
  "…! 네잎클로버다!! 오오!!!"
  마치 하트 모양 같은 네 개의 잎사귀가 옹기종기 예쁘게 모여있는 풀꽃. 행운의 상징. 네 잎 클로버다.
  "레오야!! 여기 와서 봐봐!"
  소아는 자기 엄지손가락만 한 네잎클로버를 예쁘게

펴 올렸다. 초록초록한 색감이 여름에 풍미를 더해줬다.

"히히. 갑자기 기분 좋아졌어! 봐. 어때. 예쁘지??"

소아의 부름에 곧장 달려온 레오 또한 감탄을 머금었다.

조그마한 잎사귀, 푸릇한 풀잎 사이로 맺힌 송글송글한 물방울이 툭툭, 행운의 얼굴을 한 채 우리에게 선물처럼 다가와 줬다. 과연, 행운의 대명사다. 발견한 것만으로도 방금까지의 당혹스러움을 사르르 녹여 주니.

"너무 예뻐.!! 완전 예쁘다…"

행운의 얼굴로 찾아온 풀잎 한 조각에, 소아와 레오 사이의 공기마저 온화해졌다.

"레오야. 이왕 이렇게 길 잃은 김에, 네잎클로버나 찾아보자! 행운을 왕창 얻는 거야."

넓은 들판은 이슬을 연주한다. 소아와 레오마저 조그맣게 만드는 이 숲에서, 조그마한 행운들을 발견하고 싶어.

고작 풀떼기 하나로 미음에 피어오르는 열기가 둘을 가득 메웠다. 혹시, 혹시 하는 희망이, 아무도 와본 적 없을 것 같은 이 잔디밭의 풀 내음이, 널린 세잎 속 특별한 짝수가, 기분을 자꾸만 들뜨게 만든다.

*

　시간은 흐르고 흘러, 어느새 하늘은 주황빛으로 물들었다. 가로등 하나 없는 들판이 배경을 더욱이 어두컴컴하게 만들었다.

　"ㅎㅎㅎ…"

　소아와 레오는 그 뒤로 한참을 걸어 다녔다. 처음엔 더러울까 봐 조심 조심히 봤다만, 그마저도 포기하고 나중엔 누워서까지 네잎클로버를 찾았다. 눈치챘을 땐 둘 다 너저분히 만신창이가 된 후였다.

　마법 같게도 처음 발견한 이후, 네잎클로버는 코빼기도 보이지 않았다. 나중엔 오기가 붙어서라도 열심히 찾아다녔는데. 결국 찾을 수 없었다.

　그럼에도 둘에게 남아있는 불굴의 의지가 몇 시간을 서성이게 만들었다. 희박함을 앎에도, 그 조그마한 희망 섞인 확률이, 더욱더 보물찾기의 가치를 높여주었다.

　"포기. 포기다 포기. 거참 한 번 깐깐하네. 어떻게 한 번을 못 찾냐고…"

　소아는 괜스레 풀잎에 대곤 불만을 토해냈다. 자신이 한 뻘짓이 진짜 뻘짓이었다는 것에 대해 아주 정확한 도장을 찍어버렸으니.

　"왈왈!!"

운도 지지리 없다. 어떻게 이 넓은 곳에 네잎클로
버 하나를 못 찾냐고. 그것도 한 명도 아니고 둘이서!

"하하…"

소아는 뻘쭘함을 가리지 못한 채 더러워진 레오의
몸을 쓰다듬었다. 레오 꼴도 말이 아닌 거 보니 찾느
라 엄청 노력했나 보다.

*

한참을 레오의 머리를 쓰다듬던 소아가 이내 몸을
멈췄다.

"레오! 자. 예쁘지."

원래라면 네잎클로버 두세 개쯤은 더 달고 싶었는
데. 아쉽게도 처음 발견해 고이 주머니에 모셔놨던
네잎클로버 말고는 달지 못했다.

"그래도 하나라도 있는 게 어디야."

풀잎을 꼬아 만든 목걸이였다. 여러 세잎클로버들
과 하나의 네잎클로버를 이어 붙여 만들었다.

"꺄아! 완전 귀여운데?"

소아는 서둘러 자신이 만든 목걸이를 레오의 목에
걸어주었다. 일부러 줄을 길게 하고 세잎클로버도 많
이 붙였는데. 순간 자신의 손재주에 감탄했다.

"ㅋㅋㅋ 그래. 이 정도 수확으로 만족한다 내가."

네 잎 클로버는 비록 얻지 못했지만, 목걸이를 만들었다. 목걸이를 목에 찬 상태로 배시시 웃는 레오가 너무 귀여웠다. 어쩌면…. 조금 뿌듯할지도.

"ㅋㅋㅋ 이제 집에 가자. 이건 따로 코팅해놔야겠어."

뜻밖의 수확이었다. 그렇게 특이하던 하루가 지나갔다.

* * *

고심 끝에 선발한 별자리들이었고, 레오 역시 D-982의 도안들을 마음에 들어 했다. 레오는 그중 자신이 제일 원하던 것의 형체인 그 별자리를 택했다. 예상과 같은 선택이라 내심 기뻤다. 레오가 입을 열었다.

"소아가 이 별자리를 보고 나를 떠올렸으면 좋겠어. 내가 아는 소아라면 아직까지도 많이 슬퍼하고 있을 거야. 그런 소아에게 내가 언제나 함께한다는 사실을 알려주고 싶어."

레오의 말에 담겨진 의미는 생각보다 무거웠지만 그 말 자체로 마음이 따뜻해졌다. 부디, 설소아씨가 이 별을 보고 레오의 메시지를 느껴졌으면, 무거웠던 마음의 짐을 한결 덜어줬으면. 하고 소망해보았다.

***

소아는 정처 없이 떠돌다 결국 그 끝에 도착했다.

그녀의 손에는 코팅되어 반듯한 가짐으로 놓여있던 네잎클로버 목걸이 하나가 걸려있었다.

적막을 인내하기 위해선 무엇이든 해야 했다. 운동, 요리, 산책, 청소. 마침 이제부터 본가에 얹혀살기로 다짐했던 터라 대청소를 하기로 다짐했었는데….

저녁이 다가오는 시점이었다. 창문 틈새로 부는 바람이 특히나 더 시려웠다. 그리고, 방 서랍장 깊숙한 곳에서 발견한 옛날의 흔적.

클로버가 주렁주렁 매달아있는 약간은 해진 목걸이와, 그 목걸이를 메고있는 레오가 담긴 사진.

그 목걸이를 보자마자 네가 떠올랐다.

잔잔했던 공기에 미세한 충격이 가해졌다. 소아는 그 사진을, 배시시 웃고 있는 레오가 담긴 사진을 뚫어져라 쳐다봤다.

*

　이곳까지 걸어온 건 어쩔 수 없는 선택이었다. 그저, 이때의 감정을, 이때의 추억을, 이때의 장소에서 맞이해야겠다는 직감.

　소아는 핸드폰 스피커 가득 노래를 틀어내곤 어딘지 모를 저 끝까지 걸어가기 시작했다. 평소 매일 같은 노래를 똑같이 질릴 때까지 듣는 편이라. 귓가에서 반복되는 익숙한 멜로디가 그녀를 더욱 초연히 만들었다.

　소아는 앞으로 계속이고 향했다. 수많은 공기가 순식간의 시간에 맞닿아가고 있었다. 여전히 반복 재생되는 노래는 고막까지 와닿지 못했다. 그저 소리 없이 웅웅, 형체만 내 돌아 떠나 다니다 전부 흩어질 뿐.

　분명 이 길은 그때 이후 한 번도 온 적 없는 길이다. 그런데, 그녀의 발끝엔 그날의 감각이 세세히 녹여져 있다. 지금 소아는, 그 어느 여름의 녹이 슬어있던, 그 들판에 와 있다.

　일렁이는 윤슬이 소박한 허상을 품고 흑백의 밤하늘을 잔잔히 물들인다.

　얼마쯤 시간이 지났을까, 소아는 그날 그 사진을

찍었던 곳에 정확히 도착했다. 그날, 우리의 흔적이 남아있는 곳. 그곳에, 그때와 같은 자세로 눕는다. 새로 산 패딩이 더러워질 각오쯤은 이미 했다.

　그리고, 그녀는 밤하늘에서 마주한 것이다. 자신의 목걸이와 똑같이 생긴 하늘을 가득 메운 별들을.
　수많은 별들이 소아 앞에 도래해 있었다.

*

　어두컴컴한 시골의 별은 그 어느 때보다 선명했다. 서울에서는 아마 평생 보지 못할 광경이었다. 내 눈에만 특별하게 보이는 건지, 때론 의심까지 들었다.
　그리고 소아는 알 수 있었다.
　"레오, 거긴 지낼 만해?"
　대답은 돌아오지 않았지만 소아는 대답을 들을 것만 같이 활짝 웃어 보였다. 오랜만에 짓는 웃음엔, 한 치의 거짓조차 담겨있지 않았다. 너무 활짝 웃는 바람에 되려 광대가 아파왔다.

　행복은 흔한 것이다. 소아는 손에 꼭 쥐였던 목걸이를 쳐다봤다. 수없이 많이 이어져 있는 세잎클로버와, 단 하나의 네잎클로버.
　네잎클로버는 찾기 어렵다. 세잎클로버는 널려있다.

행복도 그렇다. 행운도 그렇다.

행운은 드물다. 엄청난 양의 도파민을 한 번에 가져다주는 존재. 우리 모두가 그런 행운을 동경하고, 또 바란다.

네잎클로버가 그렇다.

하지만 행복은 그렇지 않다.

어색한 풀밭 하나에도 작은 세잎클로버들은 분명히 숨어있다. 어쩔 땐 잡초처럼 보이기도 하고, 제대로 확인조차 안 하고 즈려밟아 버리기도 한다. 하지만, 세잎클로버들은 어디서나 흔하게, 굳건히 자리 잡아 있다.

행복이 그렇다.

그리고 난…. 행복하고 싶어.

항상 감사해하는 사람이 되자.

행복을 잃은 소아는 다짐했다. 마치 클로버 목걸이처럼, 네잎클로버의 행운보다 길가에 수없이 많은 세잎 클로버처럼 작은 행복을 찾으며 살자. 그렇다 보면…. 수많은 행복 중에 단 하나의 행운이 찾아오고, 그렇다 보면, 나는 더 행복해져 있겠지.

어느 시원한 한 초봄 밤이었다. 눈들은 어느새 다정히 녹아 이슬이 될 준비를 하고 있었다. 소아는 그때야 비로소 깨달았다.

그것은 레오와 나의 합작품이었다. 빈털터리 나무들엔 하나둘 싹이 돋아나기 시작했고, 긴긴 겨울잠을 마친 동물들은 하나둘 밖으로 나오기 시작했다. 영영 내릴 것 같던 기나긴 소나기들은 어느새 아름다운 꽃비가 되어 그녀에게 흘러넘쳤다.

이곳은 우리였고 그 속에 너는 없었지만 나는 너를 느꼈다. 괜스레 마음이 포근해졌다. 실로 아름다운 봄밤이었다. 그렇게 나는 내일을 살아가겠지.

*

소아는 가방에 고이 넣어놓았던 붓과 스케치북을 꺼냈다. 회사를 그만두고 마지못해 정한 새로운 밥벌이 수단이었다. 물론, 주제가 생각나지 않아 스케치북은 여전한 백지상태.

소아는 스케치북에 붓을 슥슥, 손 가는 대로 그리기 시작했다. 흰 도화지에 조금씩 형체가 생겼다.

그녀의 스케치북이 곧 찬란하게 색칠될 날만을 기다리며, 그녀는 조그마한 강아지를 그려본다.

CHAPTER
(3)

지금 이곳은

하늘이 우중충하니 비가 쉴 새 없이 내리고 있다. 천둥과 번개는 무언가를 환영하듯 반짝인다.

가게 간판들은 달랑거리며 깜빡거리기를 반복하였다. 도로는 비에 젖어 온기가 사라진 듯 서리가 올라왔다. 하지만 사람들은 저마다의 방식으로 그 온기를 이어가고 있었다.

비가 오는 날엔 사랑의 온도를 비례하듯 우산이 치우쳐져 한쪽 어깨가 젖어있으며, 고요히 들리는 빗소리는 사랑을 이야기하였다.

사랑에는 끝이 존재하듯 이별 중에 사별이 존재한다. 이런 이별과 사별은 예상하였어도 마음이 찢어지듯 아프다. 시간이 흐르면 아픔은 서서히 아물어 가기 마련이지만, 세상에 쉬운 죽음이 없듯 항상 이별도 마찬가지다. 어떤 이별도 무덤덤해지지는 않는다. 시간이 흘러 상처가 아물어 가기를 잠잠히 기다려야 한다.

어떤 불행은 행복의 얼굴로 다가온다. 예고 없이 다가온 불행은 한순간에 모든 걸 무너지게 만들어 무심한 듯 바닥으로 내려찍는다. 결국 이런 결말로 끝이 났을 거였다면. 모든 일을 시작하지 않았었더라면. 어땠을까? 어떤 이도 인생의 결말을 모르기에 도전하고 불안해하고 행복해한다.

*

소미의 만남은 곧장 병원에서부터 시작되었다. 의사 선생님의 내민 사진 속의 자그마한 존재가 은하를 끌어당겼다. 단 한 장의 사진 이였을 뿐인데 은하의 심장은 이미 태어나기라도 한 듯 미친 듯이 뛰고 있었다.

은하의 배가 울렸다. 아기는 조그마한 발로 힘차게 발차기하고 있었다. 그 작은 심장은 세차게 뛰었다. 작은 움직임 하나가 더욱 애착이 갔고, 곧 만 만날 수 있다는 사실만으로 매일 매일이 행복했다. 암울했던 시간을 지나 아직 태어나지도 않은 아기를 기다리면서 무엇이 필요할지 고민하고, 상상하며 아기자기한 용품들을 샀다. 행복한 미래를 꿈꿨다. 행복해서 눈물을 흘릴 정도로. 꼭 넓은 초원에 누워 새파란 하늘을 바라보며 시원한 바람을 느끼는 기분이었다.

은하는 아이의 이름은 웃을 '소', 아름다울 '미'로 항상 예쁜 웃음만 지으며 살아가는 뜻에서 소미로 짓기로 했다.

소미를 기다리며 은하의 얼굴에는 웃음꽃만 가득했다. 이 행복이 영원하길 바랐고, 이렇게 행복해도 되나 싶었다.

***

그때부터였다. 조금의 불안이 싹을 틔운 게. 너무 행복했기에, 너무 불안했다. 이 행복이 한순간에 물거품이 되어버릴까 하곤. 큰 손이 발목을 붙잡고 놓아주질 않았다. 그렇게 불안이 계속 끌어당겼다.

두 손은 떨려왔고, 땀이 맺혔다. 이러한 불안 때문이었을까. 고요하고 한적한 새벽에 첫 불행이 한 걸음씩 다가왔다.

***

"아아!!! "

배가 찢어지는 고통으로 집안이 떠나가라 소리 질렀다. 은하 보다 재혁이 더 당황해 목소리가 파르르 떨렸다.

"많이 아파? 당장 병원 가자."

재혁은 은하를 부축해 차에 태웠다.

"조금만 참아! 금방 도착해!"

새벽이라 그런지 도로가 텅 비어있었다. 핸들을 잡은 재혁의 손에는 계속 땀이 차올라 미끈거렸다.

"으으윽."

은하의 신음에 재혁은 신호등을 무시한 채 병원으로 계속 달렸다. 거의 병원에 다다라 갈 때쯤 트럭이 도로를 비틀거리더니 은하와 재혁이 타고 있는 앞으로 돌진했다. 역주행이었다.

"끼이이이익."

헤드라이트의 불빛이 은하와 재혁의 눈앞을 가득 메웠다.

*
*
*

"환자분 일어나셨어요!"

은하는 정신이 혼미했다. 살며시 눈을 떴다. 병원 안이다. 반사적으로 배를 만졌다. 볼록한 배가 납작해진 채 복대가 되어 있었다. 시끄러운 주변 소음에 멍하니 천장만을 바라보았다.

은하 곁으로 의사 선생님이 다가왔다. 은하는 꿈을 꾸는 것 같았다. 어쩐지 모르게 가슴이 두근 거렸고,

무척이나 빠르게 뛰었다.

"교통사고로 위급한 상황이었습니다. 부모님의 동의하에 긴급 수술을 했습니다. 아기는 무사합니다."

의사 선생님의 목소리가 희미하게 뚝뚝 끊기듯 들렸다.

"은하야, 정신이 드니?"

익숙한 목소리, 엄마였다. 죽과 과일을 양손에 가득 들고 있었다.

"엄마, 아기는? 건강하지?"

"당연하지."

은하 엄마가 고개를 끄덕였다.

"엄마, 재혁이는?"

엄마의 얼굴이 차갑게 굳었다. 그리고 은하 시선을 피해 냉장고 안에 과일을 넣었다.

"배는 안고파? 사과 깎아 줄까? 음료수 줄까?"

엄마는 항상 곤란할 때마다 뜸을 들였다. 역시나 지금도 똑같이 뜸을 들이며, 말을 돌려댔다.

"엄마, 재혁 씨 어디 있냐니까?"

엄마가 그렁그렁한 눈으로 은하를 바라보았다. 그리고 은하 손을 잡았다.

"별이 됐어."

"별?"

은하는 뜬금없는 말에 몇 번을 더 물었다. 엄마는 아무 말도 하지 못하였다.

"싫어, 그거 아니잖아."

은하는 정신이 아득해졌다. 동시에 뜨거운 눈물이 흘러내렸다.

*＊＊

칸스텔은 사계절이 전부 존재했지만, 겨울만이 있는 듯 바닥은 차가웠고 냉기가 가득했다.

인테인이 칸스텔에 처음 발을 내디딜 땐 모습은 슬픔에 빠져 하염없이 눈물을 흘린다. 감정은 전달된다고들 한다. 죽음을 맞이해 우는 사람들 앞에서 어떻게 웃음을 지을 수 있겠는가.

이 눈물이 끝나가면 안도감과 함께 하늘을 바라본다. 그렇게 칸스텔에서 파란 하늘이 붉게 물들면 일과가 끝난다.

칸스텔에서의 시간이 조금 익숙해진 듯 D-982는 등받이 의자에 기대 노을이 지는 것을 보고 있었다.

'띵동'

패드가 울렸다. 새로운 인테인 정보가 전달되었다.

이 칸스텔의 계획 체계가 익숙해진 듯 당연하게 오늘의 이야기를 써 내려갔다.

이름 유소미
나이 9세
2등급
사망 사유 소아암

.

.

.

D-982가 맡는다.

"어린아이?"

D-982가 혼잣말처럼 중얼거리며 일어섰다.

어디에서도 어린아이 울음소리가 들리지 않았다. 어린아이가 어디 있나 싶어 주변을 한참 동안 두리번거렸다.

그때였다. 칸스텔 문 앞에 작은 여자아이가 조용히 서 있었다.

D-982는 머뭇거렸다. 그 전의 아이와는 달라서 걱정이 앞섰다. 우는 아이들은 달래주면 경계심을 풀었지만, 울지도 않고 조용했다. 보통 아이들과는 전혀 달라 막막했다.

D-982는 어린 아이에게 어떻게 해야 이질감 없이

다가갈 수 있을지 한참을 고민했다. D-982는 고민 끝에 일단 다가가보자고 생각했다. 소미에게 한걸음 씩 천천히 다가갔다.

순간 소미가 고개를 돌려 쳐다보았다. D-982는 순간 그대로 우뚝 멈춰버렸다. 멀리서 봐서 몰랐는데 자세히 보니 소미의 얼굴은 누군가한테 쫓기는 파랗게 질려있었고, 얼마나 울었는지 눈이 빨갛게 충혈되어 있었다. 안 울었던 게 아닌, 소리 없이 얌전히 안 들키게 울었던 거다. 어쩌면 살았을 때 가정폭력을 당했던 걸까. 그런 아이들은 대부분 울지 않거나 조용히 우는 게 습관이 되었다.

D-982는 소미 앞에 다가갔다. 소미가 뚫어지듯 빤히 쳐다보았다. 마치 할 말이 많은 듯 보였다.

D-982는 친근하게 언니처럼 말했다.

"소미야,"

D-982는 소미의 눈을 보자마자 말을 멈춰버렸다. 소미는 오히려 더 D-982 한테 경계심에 가득 찬 눈으로 물었다.

"제 이름 어떻게 아세요?"

D-982는 살짝 당황했다. 이내 패드를 꺼내 읽었다. 어린아이에게 죽은 사유를 말하기엔 쉽지 않았다. 말을 할 때마다 식은땀이 조금씩 흐르기 시작하였다. D-982는 어린아이에게 이런 말들을 내 뱉는 게 미안해 몇 마디 하지 않고 급하게 마무리했다.

소미는 D-982를 아무렇지 않은 눈빛으로 쳐다보며 이어 말했다.

"제가 죽었나 보네요."

D-982는 느닷없는 전개에 뜬금없었다. 더군다나 소미는 어린아이가 맞나 싶을 정도로 덤덤해 보였다.

어느 사람이나 죽음은 처음이다. 남녀노소 모두가 칸스텔에 와있는 상황을 당황해한다. 살아있을 때 하지 못한 걸 후회하고 되새기며, 자신의 죽음을 수긍하지 못한다. 그러나 소미는 달랐다. D-982는 별다르게 둘러댈 말이 생각나지 않아 차분하게 대답했다.

"맞아, 여기는 천국이야. 환영해."

"죽었는데 환영한다니요. 여긴 참 이상한 곳이네요. 다시 살아날 수는 있어요?"

소미는 당돌한 표정으로 매서운 질문을 했다. 어린아이답지 않게 감정이 전혀 없어 보였고, 직설적이었다. 물어보는 목적이 다 보일 정도로.

"아, 아니. 살 수 있어. 하지만 등급에 따라 변수는 존재해."

"등급이요? 무슨 변수요?"

"그러니까, 너는 2등급이야. 여기서 3개월 일해야 환생이 가능해."

"휴, 등급이라니 가차 없네요. 그래도 괜찮아요. 오늘부터 바로 일하고 싶어요."

"어?"

그 어느 때보다도 정신이 혼미했다. 살게 해달라고 울고불고 하는 아이들을 대부분 이었고, 폭력을 당한 아이들은 보통은 그냥 별이 된다고 하였다. 더 이상 삶을 다신 살아가고 싶지 않은 눈빛을 하곤 말이다.

D-982는 지금 자신이 어린아이와 대화하는 게 맞는지 헷갈렸다. 깔끔한 결론, 수긍도 빠르고 떼도 쓰지도 않았다.

"전 빨리 환생해서 엄마를 보러가야 하거든요."

"아! 환생은 무작위라 전생의 엄마를 만날 수 없어. 게다가 일을 하는 순간 전생 기억은 전부 잊게 될 거야. 엄마, 아빠와의 추억 전부다."

"뭐라고요? 환생한다면서요? 혼자 남겨진 엄마는 저 없이는 못 살아요.!"

소미가 버럭 소리쳤다. 아까 전부터 계속 감정 없는 표정만 하던 소미의 표정이 처음으로 변한 순간이였다.

D-982는 깜짝 놀랐다. 지금껏 담담했던 소미가 몹시 흥분했다.

*

사람들은 대부분 환생이란 단어를 들은 순간 다른 세부 사항은 듣지도 않은 채로 환생을 선택하곤 한다.

아무 조건 없이 다시 태어나 살 수 있다면 그 삶을 보통 사람이라면 누가 싫어하겠는가.

아직 못해본 게 많아서, 여태껏 아무것도 안한 자신이 너무 후회스러워서, 이렇게 빨리 죽을 줄 몰랐어서.

죽음의 순서는 존재하지 않는다. 언제 누구나 어디서든 죽음을 맞이한다. 그렇게 모두 가지각색의 이유로 환생을 선택하곤 한다.

하지만 처음엔 무조건 환생하겠단 사람도 결국 별이 되곤 한다. 환생을 해 일을 시작하는 순간 여태껏 지내왔던 모든 기억과 추억 그 순간적 감정 모두 잊는다.

사람들은 죽음에 이르기까지 많은 일들을 겪는다. 그 기억들과 소중함이 담겨 있는 감정들을 모두 잊기란 쉽지 않다. 그중에서도 단연컨대 가장 많은 사람이 환생을 포기하는 이유는 사랑하는 사람을 잊는다는 거다. 사랑하는 사람과 나눴던 대화, 여러 감정, 기분을 잊는다는 건 다시 살아나야할 목표를 잊는 거나 마찬가지였기 때문이다.

*

환생과 동시 전생의 소중한 추억을 잊어야 한다면, 사랑하는 사람을 잊지 않기 위해, 평생 소중한 추억을 간직하기 위해서 나에게 소중한 그 사람을 별이 되어 지켜본다.

***

　사람은 이기적이고, 자신의 이익을 먼저 생각한다. 서로를 서로의 관점에서 한 번씩만 봐주면 되는 그런 쉽고 간단한 일들은 하지 않는다. 이해타산적이고, 무섭다. 그렇게 서로 상처 주는 말들을 내 뱉으면서 시기하고 질투한다.

　은하는 사람을 믿지 않았다. 가족과 자신 말고는. 그런 은하에게 재혁은 만남은 무척이나 새로웠다.
　자신을 사랑하는 법을 가르쳐줬고, 다른 사람을 아끼고 존중하는 법을 가르쳐 주었다.
　재혁을 만난 건 운명 같았다. 졸업 후 로펌에 들어가 늘 바쁜 시간을 보냈다.
　날씨는 너무 화창했고, 구름은 그 무엇보다도 선명했다. 이 작은 카메라에 담기엔 구름의 존재감이 카메라를 압도했다.
　무더운 날씨에 덥고 짜증이 몰려왔다. 모두의 불쾌지수가 최대치를 찍었다.

은하는 법원에서 나와 하늘을 바라보았다. 또 패배다. 승리와 패배는 공존하지만, 오늘 느낀 패배는 다른 날과 달리 몇 배 더 쓰디썼다. 이런 날 버스를 타면 사람들끼리 부대끼며 짜증이 더 치솟을 거다. 은하는 택시를 탈까 고민했다.

바로 그때 세차게 소나기가 내렸다.

법정 앞에서 고민하며 무수히 쏟아지는 비만 바라보고 있었다.

"저기요, 우산 없으시면 제 우산 드릴까요?"

상대방 검사 재혁이었다.

법정에서도 졌는데 우산까지 없으니 불쌍해 보여서 그런 거겠지. 남의 도움 따윈 필요 없었다. 어떤 이득을 바라고 하는 짓인지 모르는 거니까.

꼬여있었다. 마음이 심장이 머릿속이 전부다. 항상 부정적 이였다.

"아뇨, 괜찮습니다."

은하는 바로 가까운 카페로 뛰어갔다. 머리에 비를 털어냈다. 카페 안은 시끌벅적한 음악 소리와 사람들의 웃음소리가 가득했다.

"아메리카노 한잔이요."

은하가 말했다.

"항상 아메리카노만 드시네요?"

"네?"

은하가 놀라 바라보았다.

"저랑 같이 마셔요."

재혁이 환하게 웃었다.

은하와 재혁은 비가 그칠 때까지 함께 있었다.

"제 차 타고 가실래요?"

재혁이 은하를 바라보며 말했다.

은하는 고개만 끄덕거리곤 아무 말 없이 차에 탑승했다. 은하의 집까지의 거리는 그리 멀지 않았다. 은하의 집에 다 도착했을 때쯤 다시 비가 내리기 시작하였다.

"우산 가지고 내려요."

재혁이 우산을 은하의 손에 쥐어 주었다.

"바로 집 앞인데 무슨 우산이에요. 아니에요."

"잠깐이라도 가지고 내리세요. 우산 저한테 주러 오실 때 또 볼 수 있잖아요."

재혁의 말에 은하는 입가에 미소가 번졌다.

은하는 잠깐인 거리를 재혁이 준 우산을 펴곤 걸어갔다.

그날따라 너무 많은 일들이 있었다. 마음도 기분도 뒤숭숭 했다. 씻지 않고서는 한번 도 침대에 올라가 본 적이 없었는데, 아무 생각 없이 침대에 올라가선 유리로 된 천장만을 바라봤다. 여전히 그칠 생각이 없는 비가 천장을 내리치고 있었다. 비를 계속 바라보고 있어서 그런가. 재혁의 얼굴이 머릿속을 스쳐 지나갔다. 조금 정신이 몽롱해졌다.

"생일 축하합니다, 생일 축하합니다. 사랑하는 은하의 생일 축하합니다."

수많은 친구가 은하의 생일을 축하해주었다. 옆에 가득히 쌓인 선물들. 따스함이 느껴지는 자리였다. 포근하고 안정감이 같이 공존하는 그런 곳. 모두가 은하를 아껴주고 있다는 걸 느낄 수 있었다. 바라보는 눈빛들이 너무 순했기에. 그렇게 행복에 빠져있을 때쯤 다시 현실로 들어왔다.

"아…. 꿈"

꿈에서 깼는데 다시 꿈에 빠져들고 싶은 기분. 꿈과는 다르게 현실은 너무 차가웠기에. 만약 친구가 있었다면 조금은 따스했을까.

*

또 똑같은 일상들의 반복되는 와중이었다. 물론 여느 때와는 다르게 그 어딘가 모를 사이에 재혁이 존재했다.

우산을 돌려주러 재혁을 한 번 만났다. 그리고 어쩌다보니 만남이 계속 지속되었고, 붙어있는 시간은 나날이 늘어만 갔다.

그렇게 재혁은 은하 곁으로 와 은하 마음속에 꽉

차버렸다. 은하는 좋아하는 마음이 이런 건가 싶었다. 누굴 좋아하게 된 것도 사랑이란 감정도 처음이었다.

재혁이를 만난 후부터 많은 게 달라졌다. 온 세상이 아름다웠다. 가슴 한편이 아린 그런 사랑이었다.

***

다음 날이었다.

칸스텔은 어느 날보다 덥고 답답했다. 날씨가 울적해 보인다고 해야 하나.

덤덤한 얼굴을 하곤 멀리서 소미가 걸어왔다.

"전 별이 될래요. 엄마를 잃고 살아가는 건 살아가는 의미가 없어요."

"그래."

D-982는 가만히 소미를 바라보았다. 여전히 엄마를 걱정하는 소미 마음이 안타까웠다.

"별자리는 세 가지의 기억 중 선택해야 해. 영상실로 가자."

"알겠어요."

D-982는 느릿느릿 걸었다.

소미가 중간에 갑자기 멈춰 섰다. 아무 말 없이 땅을 바라보았다.

"왜 그래?"

소미는 눈을 바닥에 두고는 눈물을 흘리고 있었다.

작은 발 등위로 방울방울 눈물이 떨어지고 있었다.

D-982는 그동안 많은 울음을 봤지만, 느닷없는 소미의 울음은 무척 당혹스러웠다.

"혹시 죽음을 선택하지 않았겠죠?"

D-982는 명사가 없는 질문을 금방 이해했다. 분명 소미 엄마를 걱정하는 말이었다. 어린 소미 머릿속엔 엄마 생각밖에 없는 듯 보였다.

"그럼. 건강하게 살아 계실 거야. 네가 별이 되면 금방 널 알아볼 거야. 그리고 네 별을 보면서 평생 널 떠올릴 거야. 그러니 걱정할 필요 없어."

D-982는 소미를 안심시키고 싶었다. 무슨 이유로 아이답지 않게, 걱정을 한가득 갖고, 메마른 감정으로 철이 들었는지 모르지만. 부디 어린 소미가 더 이상 걱정하지 않길 바랐다.

잠깐 후 D-982와 소미는 영상실에 도착했다.

기억을 보려는데 소미가 D-982의 손을 꼭 붙잡았다. 영상을 보는 게 무서운 듯 보였다.

"왜 영상 보기가 무서워?"

"아뇨…."

소미가 바닥을 내려다보고 말을 아무 말도 못 했다.

"내일 다시 오자 여기. 데려가고 싶은 데다가 생겼어."

D-982는 소미의 손을 잡고는 칸스텔의 오락실로

향했다.

웃음소리가 오락실 전체에 울려 퍼져있었다.

다른 아스트들이 어린아이와 함께 많이 와있었기 때문이다.

"오늘은 여기서 좀 놀자. 아직 널 보낼 때가 아닌 거 같네."

D-982는 소미를 바라보면서 웃음을 지었다. D-982와 소미는 인형 뽑기 등 여러 게임을 하며 즐겼다.

소미도 어린아이처럼 환하게 웃었다. 칸스텔에 와서 소미의 이렇게 행복한 모습은 처음 봤다.

D-982는 행복하게 웃는 소미를 보면서 함께 웃었다.

어느덧 시간이 지났고 밤이 되었다.

"언니! 고마웠어요…! 놀아줘서, 여기 와서 언니를 만났다는 건 제게 큰 행운인 거 같아요.!"

항상 차갑고 냉랭하기만 했던 소미에게 고맙다는 말을 들으니 무거웠던 마음이 한층 내려앉은 거 같았다.

"다행이네, 내일은 또 보자"

소미는 D-982를 바라보곤 고개를 끄덕거리면서 D-982를 안았다. D-982는 이것까지밖에 못 해주는 게 미안했고, 아무 말 없이 여기까지 와준 소미에게 고마웠다.

***

갑자기 닥친 불행은 너무 가혹했다. 모든 사람이 죽지만 재혁의 죽음은 올바른 죽음이 아니다. 왜 하필 재혁이냐고? 내가 뭘 그렇게 잘못했냐고? 왜 날 벼랑의 끝에 내몰았냐고? 따지고 싶었다.

은하는 재혁이가 죽고 난 후는 더욱 힘들었다. 몸 안에선 뜨거운 불길이 나를 타고 올라와 온몸은 불태웠다. 살고 싶지 않았고, 이 세상에서 가루가 되듯 사라지고 싶었다.

한없이 예쁘고 소중한 소미가 곁에 있었지만, 삶의 의욕 하나 없이 병원에서 퇴원하게 되었다.

그렇게 불행한날에 퇴원 길은 너무도 푸르렀다. 싹이 막 틔기 시작했고, 전날 내린 비에 의해 잎사귀에 맺힌 물방울들이 햇빛에 비춰 반짝였다. 나무의 잎사귀가 피어 바람에 흩날렸고, 젖어 있는 땅에 지렁이들이 하나 둘씩 나오기 시작했다. 작은 생명체라도 각자의 일에 최선을 다하고 있었다.

　하지만 각자의 할 일을 다 해도 역시는 역시나. 결국 끝이 있다. 속속히 지나가는 사람들에 밟혀 지렁이가 죽어 있었다. 죽어 있는 지렁이를 이번이 처음 본 건 아닌데, 어쩐지 하염없이 죽어있는 지렁이에게 동질감이 들었다. 그냥 제 갈 길을 갔을 뿐인데 죽은 그 삶에 말이다.
　웃음이 피식 나왔다. 헛웃음 말이다.
　축축이 젖어져 있는 땅을 슬리퍼를 질질 끌며 한걸음 씩 걸어갔다. 슬리퍼는 지친 다리에 의해 질질 끌려 찢어졌고, 아무 생각 없이 움푹 파인 웅덩이를 밟아 흰 양말이 온갖 진흙에 적셔져 갈색으로 변해있었다.

* * *

　슬픔에 잠길 시간도 없이 눈앞에 깜깜한 삶은 막막했다. 혼자서 아이를 키우며 일을 한다는 건 벅찼다. 하지만 늘 재혁이 곁에 있다고 생각하며 버텼다.
　은하는 변호사 일을 다시 시작했다. 항상 높은 승률을 유지했던 예전과 달리 계속 승률은 바닥을 내려찍어갔다.

하루하루 어떻게 버티는지 모르게 시간이 흘렀다.

*

*

*

어느새 소미가 유치원에 들어갈 나이가 되었다. 소미는 은하에게 다가가서는 유치원에 들어가게 되었다면서 은하의 옷소매 끝은 붙잡고 말했다.

은하는 소미의 눈을 마주치지도 않은 채 말했다.

"일찍 자야 내일 입학식 가지."

은하는 소미에게 말하며 소미의 손을 약한 힘으로 뿌리쳤다.

소미는 침울한 표정을 하고선 뿌리쳐져 툭 떨어진 손끝을 바라보았다. 그렇게 힘없는 다리를 이끌고 터벅터벅 걸어가 방에서 혼자 가서 잠을 청했다. 은하는 그렇게 몇 분간 책상에 누워 소미의 손을 뿌리친 걸 되새겼다. 미안함이 한껏 몰려왔다. 은하는 소미의 방에 들어가 침대에 누워 자는 소미를 아무 말 없이 쳐다보았다. 이불도 덮어주고 옆에 앉아 소미의 머리를 쓰다듬었다. 은하는 소미를 바라보며 이야기했다.

"소미야, 사람은 죽으면 별이 된대, 네 아빠도 별이 되어 우리를 지켜보고 있겠지.?"

은하는 누워있는 소미에게 고개를 푹 숙인 후 눈물

을 흘렸다.

그리움과 추억이 가슴을 아프게 했다. 누구에게도 말하지 않았지만, 가슴 한 켠에 죄책감이 있었다.

"엄마, 울지 마. 엄마 잘 못이 아니야."

소미가 잠꼬대처럼 속삭이듯 말했다.

은하는 눈물이 멈췄다. 그냥 꿈에서의 어느 잠꼬대일지 모르지만 어느새 자라 자신을 위로하는 어린 딸이 고맙고 기특했다. 어떨 때면 지친 몸으로 퇴근해 잠든 소미를 보며 술을 마셨다.

어쩌면 그런 은하를 소미는 조용히 지켜보고 있었는지 모른다. 그러고 보니 어린아이처럼 투정을 부리지도, 무언가를 사달라고 조르거나 짜증을 내거나 울지도 않았다.

항상 그런 생각을 매고 살았다. 오늘따라 더욱 그 생각이 벅차 가슴속을 채운 것도 사실이다. 술을 자주 마셨던 것도 사실이고, 소미에게 관심을 잘 주지 않은 것도 사실이다. 더욱 미안했고, 자격이 없다고 생각했다.

소미의 숨소리가 새근거렸다. 어쩌면 소미 마음속은 드러내지 못한 감정들로 꽉 찼을지도 모른다. 슬픔의 비가 무수히 내려 큰 파도가 내몰아 치고 있을지 모른다. 어린 소미가 혼자 모든 일을 해결하는 걸 그저 모른척했다.

"소미야, 미안해."

은하는 자고 있는 소미에게 작은 목소리로 사과했다. 아무것도 해준 게 없지만 남들 보다 철이 빨리든 소미에게 미안했고, 고마웠다.

***

은하는 언제나 계속 열심히 살아가는 소미를 보고 정신을 차렸다. 아직 몇 안 된 저 어린나이에 저렇게 노력하는데 지금 이러고 있는 게 너무 쪽팔려서, 그래서 누구보다 열심히 살았다.

퇴근 후 밤길 조용히 노래를 들으며 집으로 천천히 걸어가는 시간은 그 어느 시간보다 행복했다. 늦은 시간이었기에 소미는 일을 끝낸 후 집에 들어올 땐 거의 항상 잠에 빠져있었다.

뜨거운 물이 몸에 닿았다. 뜨거운 물이 흘러 모락모락 연기가 피어 눈앞을 가린다. 샤워를 할 때면 오늘 하루 있었던 일들이 장면 그대로의 메모리칩처럼 눈앞을 스쳐 지나간다. 하루 동안 후회했던 말이나 행동 또한 행복했던 일을 되새기며 행복을 가슴은 가슴에 담고 후회는 물과 함께 씻어 내린다. 그렇게 샤

워를 마친 후면 한결 마음이 편안해지고, 오늘의 피곤함이 풀리곤 한다.

창문 밖으로 별이 보였다. 별이 많은 날과 별이 없는 날이 다음날 날씨를 정한다. 아무 생각 없이 멍하니 쳐다보았다. 습관이 된 불면증으로 잠이 못 들 때가 많았다.

성공하는 삶이란 무엇일까? 넓은 집에 운전사와 집사가 있고, 돈 걱정 없이 펑펑 쓰는 삶이라고 생각한 적도 있다. 하지만 그런 삶은 형식적이고 가슴 속 답답함이 사라지지 않는다. 성공한 삶이란 내가 사랑하는 사람과 함께 행복하게 사는 것이다. 은하는 생각했다. 재혁이 떠나고 행복도 끝났다고 생각했지만, 소미를 보며 다시 행복을 꿈꿨다.

어느새 별을 보고 있으니 꽉 찬 머릿속이 비워지는 것 같았다.

*
*
*

결국은 또다시. 결국 이렇게 될 운명이었던 걸까.

은하가 절망에 빠진 얼굴로 되뇌었다. 은하는 벼랑의 낭떠러지에서 겨우 버티고 있었다. 비틀거릴 때마다 은하 손을 잡아주었던 작은 손마저 결국은 사라져 버렸다.

"소미까지 데려가 버리면 난 이제 어떻게 살아야 하냐고."

은하의 눈에서 눈물이 흘러내렸다. 아니 눈물조차 나지 않았다.

소미가 떠났다. 은하는 이제 무얼 보고 살아야 할지 앞이 아득했다. 메마른 하나의 사막처럼 뜨거웠고, 답답했다. 아니. 그것보다도 더 했다. 용암속의 뜨거운 불길이 타고 은하의 온몸을 불태워, 은하의 심장은 검게 타버렸다.

소미의 장례식이 치러졌다. 은하는 사진을 볼 수 없었다. 죽음이 무색하게 사진 속 소미는 너무나도 예쁘게 웃고 있었다.

"내가 지어준 이름 웃을 소에 아름다울 미"

은하의 어룽어룽한 눈에 소미가 어른거렸다.

은하의 장례식장을 다녀간 사람들의 얼굴은 하나둘 쓴 사탕을 입안에 담고 있는 듯한 표정을 짓고 있었다.

은하와 함께 온종일 우는 사람, 아무 표정 없이 사진 속 소미만 바로 보는 사람도 있었다.

소미를 기억하는 사람들의 슬픔이 몰아치는 같은 시간 속에 무덤덤한 사람은 없었다.

은하는 이 공간과 시간이 끔찍했다. 소름이 돋을 정도로. 사람들은 은하를 동정했다. 은하를 불쌍한 듯 쳐다보고 여겼다. 그 불쌍한 듯 쳐다보는 눈빛은 재혁을 보낼 때 한번 겪었던 눈빛들이였지만, 또 겪는 것 또한 익숙해지지는 않았다.

*

*

*

　　그렇게 일상을 살아가야 했다. 은하의 시간은 멈춰 그 제자리에 서있었지만 모든 시간은 하나 둘 자신의 자리를 지키고 있었다. 사람들은 죽음을 마주하고 어떻게 살아가는 것일까. 어제도 보고 오늘도 봤었던 그 사람을 잃고 다시 어떻게 일어설 수 있는 것 일까. 재혁의 죽음도 소미의 죽음에고 항상 곁에 있었다. 재혁의 죽음을 막지 못했고, 소미의 아픔을 알지 못했다. 그렇게 곁에 있었으면서 후회와 실망만이 가슴을 메운다.

*

　　사람들 모두가 후회 해봤자 돌아오는 건 없다는 걸

그 누구보다 잘 안다. 하지만 후회하고 과거를 계속 생각한다. 이미 사라지고 없어져 버린 단 하나의 희망을 품고 말이다.

***

날씨가 너무나도 화창했다. 구름은 그림을 그리듯 아름다운 색감 이였다. D-982와 소미는 서로 손을 잡고는 다시 영상실로 걸어갔다.

D-982와 소미는 서로를 마주 보며 눈으로 대화했다.

지지직 소리와 함께 첫 번째 소미 기억이 재생되기 시작했다.

***

첫 번째 기억

소미의 돌잔치 날이였다. 어여쁜 한복을 입은 어린 소미를 안고 은하가 돌상 앞에 서 있었다. 어쩐지 은하는 웃을 수가 없었다. 소미의 생일이 곧 재혁의 제삿날이기도 했다. 사촌들과 친척들이 전부 모였지만 분위기는 어두웠다.

"쯧쯧…. 불쌍해서 어째. 여자 혼자서 애 키우는 게 보통 일이 아니지."

여기저기서 사람들의 동정이 쏟아졌다.

은하는 결국 참았던 눈물이 흘렀다. 합성한 사진이지만 소미와 은하와 나란히 찍은 재혁이 보였다.

어린 소미도 사진을 보며 해맑게 웃고만 있었다.

은하는 소미를 내려놓았다.

"정신 차려야지! 언제까지 그러고 있을 거야! 어린 소미를 봐서라도 힘을 내야 하지 않겠어!"

은하의 엄마가 은하 어깨를 잡았다.

그때였다. 소미가 한 발을 내디뎠다.

"아이코, 드디어 우리 소미가 걸음마를 하는구나."

은하의 엄마가 기뻐 소리쳤다.

은하가 놀라 눈이 동그랗게 커졌다. 서둘러 눈물을 닦았다.

소미는 은하를 향해 활짝 웃었다. 두 개밖에 없는 앞니가 다 보이도록. 그리고 천천히 한 발 한 발걸음을 떼기 시작했다.

"장하다. 내 새끼!"

은하 엄마가 박수를 치자, 사람들도 따라 박수를 쳤다.

은하는 소미 앞으로 갔다. 지긋이 미소를 지으며 두 팔을 벌렸다.

"이리 와. 소미야."

"엄마마!"

소미가 아장아장 앞으로 걸어 왔다. 한 걸음 한 걸음 서툰 걸음을 걸어 은하 가슴에 쏙 안겼다. 은하는 소미를 힘껏 들어 올렸다. 소미가 쌍꺼풀 없는 눈으로 방긋 웃었다. 문득 은하는 소미 얼굴에서 재혁 얼굴이 겹첩다. 그러고 보니 소미는 재혁이를 더 많이 닮은 듯 했다. 축 처진 눈꺼풀과 작은 코가 재혁과 똑같았다.

"소미야, 생일 축하해."

은하는 소미를 꼭 안았다. 작은 소미의 가슴에서 뜨거운 온기가 고스란히 전해졌다. 은하 가슴이 찌릿했다. 재혁이 떠나고 차디차게 얼어버렸던 심장이 따뜻한 봄 햇살에 녹아내렸다. 두꺼운 얼음 사이로 졸졸 흐르는 냇물처럼 반짝반짝 빛났다.

비로소 은하의 심장이 예전처럼 뛰기 시작했다. 은하는 소미를 안은 향해 활짝 웃었다. 소미도 엄마를 따라 방글방글 웃었다.

***

소미와 D-982는 기억을 보곤 눈을 떴다.

"저랑 아빠랑 많이 닮았을 까요…?"

소미는 D-982를 쳐다보며 말했다.

"그렇겠지?."

D-982는 뜬금없는 질문에 당황스러워하면서도 소미의 마음이 이해됐다. 아빠는 한 번도 보지 못했을 거다. 아빠의 죽음으로 엄마도 힘들어했을 테니 소미한테 아빠의 사진을 보여주기란 그 무엇보다도 떨었을 테지.

"다음 기억…. 볼게요.!"

***

두 번째 기억

소미는 유치원이 버스에서 내렸다. 비가와 적셔진 땅을 소미는 장화를 신고는 마구 달렸다. 소미는 웅덩이에 있는 물이 튀어 장화 안이 질퍽거렸고, 그걸 모른 채 계속 달리기만 했다. 현관문을 열고 신발을 벗자 물이 그대로 뚝뚝 떨어졌다. 소미는 화장실로가 발을 씻고선 뚝뚝 흘려져 있는 물들을 걸레로 닦고선 집안일을 했다. 손에 닿지도 않아 점프를 뛰어가며, 청소를 했다. 그렇게 청소가 끝날 무렵 식탁 엎드려 있는 엄마가 보였다. 일을 오늘은 안간 듯 보였다.

소미는 후다닥 가방에서 카네이션과 편지를 꺼냈다. 수업 시간에 엄마를 위해 만든 카네이션을 당장 엄마 가슴에 달아주고 싶었다.

"엄마."

"……."

은하는 꿈쩍도 안 했다.

소미는 조금 더 가까이 가서 엄마를 흔들었다. 그제야 엄마 옆에 소주병이 눈에 들어왔다.

"휴."

소미는 짧은 한숨을 폭 내쉬었다. 살금살금 소파로 갔다. 탁자 위에 카네이션과 편지를 내려놓았다. 소파 위 무릎담요를 들고 가서 조심스레 은하 어깨에 무릎담요를 덮어 주었다.

소미는 엄마를 깨우지 않고, 조용히 소파에 앉아 자고 있는 엄마를 바라보았다.

"하아아."

은하가 고개를 들었다.

"벌써 시간이?"

어느새 붉은 노을 지고 있었다. 은하의 얼굴은 양 볼이 새빨갛게 달아올라있었다. 술을 몇병이나 들이킨 건지. 눈을 제대로 뜨지 못했다.

소미가 냉큼 달려가 카네이션을 내밀었다.

"오늘 어버이날이라서 유치원에서 만들었어요."

은하는 별 관심 없다는 듯 빨간 색종이로 접은 카네이션을 바라보았다.

"내가 달아줄게요."

소미가 카네이션을 엄마 가슴에 붙여주었다.

"편지도 있어요."

"고마워."

은하는 가만히 편지를 펼쳤다.

소미가 그린 그림과 삐뚤한 글씨로 쓴 짧은 편지를 읽었다.

*

사랑하는 엄마,

엄마 있잖아. 나는 의젓한 딸이 될 거야.

엄마 안 힘들고, 엄마가 의지할 수 있는 사람이 됐으면 좋겠어.

나 말이야 이번 받아쓰기도 100점이야! 내가 공부 1등하고 잘 살아서 돈 많이 벌어서 엄마 호강시켜 줄 거야!

내가 투정도 안 부리고 잘할 테니까.

항상 울고 있지 마!. 엄마가 울면 나도 슬퍼지잖아. 엄마 그러니까 항상 힘내!

엄마 곁에는 항상 내가 있을 테니까.

엄마의 웃는 얼굴만 볼 수 있었으면 좋겠어!

*

소미는 행복한 얼굴로 엄마 얼굴이 뚫어져라 바라보았다.

은하는 얼굴이 빨갛게 달아올랐다. 그동안 잘 못해준 것과 그동안 차갑게 굴었던 자신이 쪽팔렸기 때문이다.

그대로 주저앉더니 은하는 편지를 가슴에 대고는 계속 울었다.

소미는 엄마를 보고는 천천히 걸어와 엄마를 폭삭 안았다. 그 순간만큼을 무엇보다도 따스했다. 서로를 부등켜안고 울었다.

***

소미는 언제나 강했다. 울지 않았고 웃지 않았다. 아니 강했다기보단 강해지기 위해 애를 썼다. 약해 보이지 않기 위해 소미는 어렸을 때부터 지금, 얼마 안 되는 나이까지 계속 강한 모습만 보이려 애를 썼다.

"....."

소미는 애써 웃으며 D-982에게 말했다. D-982는 소미의 머리를 쓰다듬었다.

"괜찮아, 괜찮을거고"

D-982는 소미에게 자신만의 위로를 건넸다.

***

세 번째 기억

밖에서 아이들이 노는 소리가 집 안까지 울려 퍼졌다. 눈이 내렸고, 소복이 쌓인 눈을 가지고 사람들은 눈 놀이를 하며 저마다의 방식으로 웃음을 이어가고 있었다.

사람들은 행복한 척을 하며 살곤 한다. 남의 시선을 신경 쓰고 불안해하고, 행동하나에 눈치보고 누군가 자신을 싫어하는 걸 두려워한다. 어떻게 모두한테 사랑 받을 수 있겠는가.

그렇게 모두에게 사랑받지는 못하는 그런 삶이지만, 사랑하는 사람이 있기에, 버텨내는 그런 세상에서 살아가고 있다.

*

은하는 일을 끝내 집에 들어오는 길에 문구점 하나를 들어가게 되었다. 오래된 문구점인지 허름했고, 낡아 있었다. 구석엔 TV하나가 틀어져 있었다. 너무나도 오래된 채널처럼 보였다. 그렇게 은하는 오래된 문구점에서 추억팔이를 하며 옛날 감정을 되새겼다. 그렇게 작디작은 문구점을 오랫동안 살폈다. 어릴 때 먹은 불량식품 하며, 옛날 애니가 그려진 일기장 하며, 추억들이 살아나는 소품들 뿐 이였다. 그렇게 둘러보는 도중 하나의 물품이 유독 반짝였다.

'야광별 스티커'

그러고 보니 문구점이 어째 좀 깜깜했다. 그래서 그런지 스티커는 더욱 빛났다.

'드르르륵'

문구점을 누가 들어왔다. 소미는 놀라 손에 집어든 스티커를 떨어 뜨렸다.

'툭'

"뭐야, 여기 문 닫았는디?"

"네?"

가게 주인 분이 신거 같았다.

"여기 이제 운영 안 한다고잉"

말이 구수했다. 은하는 어쩐지 그 말투가 너무 편안했고, 따스했다.

"아, 그래요? 죄송해요."

은하는 다급하게 떨어진 스티커를 올려다 두고는 나가려고 급하게 일어섰는데, 할머니가 말하셨다.

"그냥 그 스티커 가져가"

"네?"

"어차피 닫은 낡은 문구점인디 그냥 가져가라고잉"

"가...,감사합니다."

"어여가, 잘 가고이."

은하는 문구점을 나와 스티커를 보며 걸어갔다.

그 문구점은 어쩐지 많은 생각이 들게 했다. 딱히 뭘 하지 않았는데 따스했고, 포근했다. 뭔가 모를 그 사람 사이 간의 정이 보였다고 해야 하나. 그게 마을 정인가 싶었다.

보통 아이들이 잠들던 딱 그 시각 9시 쯤 이였다.
은하는 집에 들어와 옷을 갈아입지도 않은 채 퇴근길에 사서 온 야광별 스티커를 소미에게 주려 소미의 방문을 열었다. 소미는 여태껏 공부를 하고 있었던 걸까. 책상에 엎드려 자고 있었다.
'ㅋㅎ'
헛웃음이 나왔다. 소미가 엎드려서 입을 벌리고선 침을 흘리고 있었다. 은하는 눈물이 나왔다. 은하는 항상 소미만 보면 울었다. 재혁과 닮아서가 아닌 너무 미안하고, 고마워서 너무 잘해주고 싶은 마음이 크지만 그게 마음대로 안 돼서.
"으으으음.."
소미가 잠에서 깨 말했다.
은하는 급하게 고개를 돌려 눈물을 닦았다. 은하는 소미에게 스티커를 쥐어주었다.
"그냥 생각나서 샀어.,"
은하가 스티커를 주고 소미의 방을 나가려고 하자 소미가 은하를 붙잡았다.
소미는 똘망똘망한 눈을 하고선 말했다

"같이..., 붙이면 안돼요?"

마지 못 하는 척을 하며 알았다고 말했다. 사실 내심 기분 좋았다. 날 아직 좋아하나보다 라는 안심 이라고 해야 하나. 못해준 게 너무 많아서 싫어 할 수도 있다고 생각했기에.

"천장에 붙여요!"

"천장에?"

소미는 침대에 올라가선 점프를 뛰며 천장에 붙이기 시작했다.

"으웃,, 얍!"

점프를 뛰어도 닿지 않았다. 은하는 열심히 뛰는 소미를 보더니 소미를 번쩍 들어올렸다.

"이제 닿지?"

"완전! 좋아요!"

소미에 웃음 같이 웃음이 났다. 그렇게 별들을 하나하나 붙이기 시작했다. 어느새 천장에 총 총총 별들이 가득했다.

"이제 불 꺼보자."

소미가 은하 말이 끝나기 무섭게 불을 껐다. 그리고 은하 손을 잡아끌었다.

"엄마, 침대에 누워서 봐요."

"좋아."

둘은 나란히 소미 침대에 누웠다.

"오늘은 여기서 같이 자요."

소미는 처음으로 어리광을 피워봤다. 어쩐지 오늘은 그래도 될 것 같았다. 은하는 활짝 웃는 소미 모습에 바로 대답했다.

"그래."

잠깐 후 창밖으로 빗소리가 들렸다. 은하는 소미를 바라보았다. 어느새 소미는 은하 가슴에 얼굴을 묻고 잠이 들었다. 은하는 가만히 소미 등을 토닥여주었다.

밖은 비가 내려 차갑고 추웠지만, 방 안의 온기는 어느 때보다 정답고 포근했다. 하나의 드라마 같았고, 하나의 소설 같았다. 이상적인 집안이었다. 화목하고 단란한 그런 집안. 그렇게 소미가 눈을 감고 좀 몇 분 지났을 때쯤 엄마는 작은 목소리로 이야기했다. 아빠에 관한 이야기를. 소미는 자는 척했지만 자고 있지 않았다. 다 들었고 같이 공감했다.

은하는 같이 자겠다고는 했지만 할 일이 너무 많아 같이 잘 수 없었다. 그렇게 은하는 작은 미소를 지으며 일하러 떠났다. 소미는 엄마가 떠난 후 잠에서 다시 일어났다. 그리곤 엄마 방까지 몰래 따라 나갔다. 엄마는 자기 침대에 무릎을 굽히고 앉아 놓고선 미안하다며 바닥을 보고 계속 울어댔다. 그리곤 무릎을 꿇더니 천장 아니. 하늘을 보곤 소원을 빌었다. 무슨 소원인지 모를 소원. 그렇게 소미는 엄마를 몰래 지켜보고는 방에 들어가 침대에 누워서 천장을 바라보다가 잠이 들었다.

***

소미의 기억은 짧고 간결했다. 단순하고 깔끔했다. 하나의 드라마 같았고, 하나의 소설 같았다.

대부분 사람처럼 역시나 소미도 추억을 보며 눈물을 흘리고 있었다.

기억을 보더니 더 깊은 생각에 빠진 듯했다.

D-982는 그런 소미를 빤히 바라봤다. 오만가지 생각이 다 들었다. 살려주고 싶었다. 그냥 다시 엄마의 곁으로 돌려보내 주고 싶었다. 어린 나이이기도 했고, 그 짧고 단기간에 행복했던 기억이 너무 소소해서 더욱 슬펐다. D-982는 혼자 깊은 고민에 빠졌다.

'그래 결심했어. 소미가 원하는 대로 환생시키는 거야.'

D-982는 규칙을 어기기로 결심했다. 규칙을 어기면 그동안 D-982가 이룬 것들이 모두 사라지고 환생이 늦어질 수도 있다. 그럼에도 불구하고 D-982는 소미를 환생시키기로 결심했다. D-982는 패드를 뒤로 하고 소미를 안아주며 말했다.

"환생…. 시켜줄게"

소미의 눈은 어느 때보다도 동그랗게 커졌다.

"네?"

"환생 시켜주겠다고"

"저한테요? 왜요…?" "해주고 싶어서 이유는…. 모르겠어! 그런 생각이 들어"

소미는 D-982를 보면서 웃음을 지으면서 울었다. 그렇게 소미는 울고 웃고를 반복하였다.

"일단 따라와"

D-982와 소미는 환생 문 앞에 섰다. D-982는 억지로 환생 문을 열었고, 소미는 한 걸음 한 걸음 환생 문 앞으로 다가갔다.

"언니, 지금 생각해 보면 언니를 만나서 다행이라는 생각이 드네요."

D-982는 소미를 보며 손을 흔들었다.

소미는 뒤를 돌아 말했다.

"감사했어요.! 아니, 감사해요. 지금도, 언제까지나 감사할 거예요."

소미는 그대로 D-982에게 달려와 끌어안았다. D-982는 소미를 끌어안으며 말했다.

"수고했어"

그렇게 소미와 D-982는 작별 인사를 끝낸 후 떠났다. 각자의 길로. D-982는 소미를 환생시킨 후 돌아가는데 그대로 주저앉았다. 뒷감당이 두려웠다. 소름이 쫙 돋으며 닭살 돋았다. 그렇게 한 발 한 발 돌아가고 있을 때쯤 패드에 알람이 울렸다

'띵동'

인테인 알람이 아니었다. 이디첼의 호출. 시작된 거겠지.

"후, 하"

들숨 날숨을 반복하며 걸어갔다.

"야!!"

이디첼은 D-982에게 처음부터 소리를 질러댔다.

"너 그게 할 짓이야?"

"아뇨."

D-982는 할 말이 많은 표정을 짓곤 얼굴이 붉어졌다.

"왜 울게? 네가 울 처지야!?"

이디첼은 점점 더 언성을 높였다.

"알면서 왜 그러는 거야 안되는 거 알잖아"

"알아요, 근데…."

D-982는 울먹이면서 이디첼을 쳐다봤다.

"알아 너라면 살려주고 싶었겠지. 들었어, 어린아이. 하지만 어린아이는 너만 맡는 게 아니잖아. 다른 아스트 들도 어린아이를 맡아 하지만 단 한 번도 이런 일은 발생하지 않았어."

"…."

D-982는 아무 말 없이 이디첼의 말을 들었다. 아니, 아무 말도 할 수 없었다.

"여기서 일하는 사람들은 다 감정이 있어, 하지만 공과 사는 구분하지. 너도 그 정도는 구분할 수 있었잖아. 걔만 살려주면 불공평하다는 생각이 들지 않아?"

"맞아요…. 하지만, 아니, 죄송합니다."

D-982는 말을 꾹 닫았다.

"뭐 이제 반항이라도 하겠다는 건가?"

"아뇨…."

이디젤은 더 이상 말을 잇지 않았다. D-982의 손에 종이 한 장을 쥐여 주고는 떠났다. 작은 글씨들이 아래로 길게 적어져 있었다. D-982는 다리 힘이 조금 풀렸다. D-982는 한글 자씩 종이를 차차 읽어 나갔다.

길게 적힌 종이와는 다르게 벌은 너무나도 평범했다. 일과를 끝낸 후 칸스텔 전부를 청소하는 거였다. 평범해도 너무 평범했다. 이게 환승을 마음대로 보낸 사람의 벌이라는 게 당황스러울 정도로.

하루 일과를 끝낸 후 D-982는 청소를 하기 시작했다. 금방 끝나리라 생각했던 청소는 칸스텔이 너무나도 큰 나머지 한참을 걸렸다. 물론 칸스텔의 그 큰 크기를 전부 청소하는 건 아니었다. 정해진 구역이긴 했지만 그만큼도 너무나도 컸을 뿐이다. 칸스텔에서의 해가 뜨는 것을 지켜보았다. 칸스텔의 노을빛이 너무나도 예뻤다. 그렇게 계속 하염없이 청소하다 보니 무려 다음날이 밝았다.

"그 어제는 말이야…. 말이 좀 심했지.?"

이디첼이 다가와 말했다.

"아.! 아뇨, 제가 잘못 한 거였어요."

"저기까지 끝내고 이제 인테인 받아들여."

이디첼 손가락을 가리켰다.

"아 그리고 그 정도 벌은 준 이유는 너의 마음을 알아서야. 물론 여태껏 네가 잘해서 그런 것도 있어. 헤라 님도 허락했고. 다음부터 이런 호의는 없어."

"네넵."

이 디젤을, 말을 끝내곤 유유히 사라지셨다.

D-982는 혼자 조용히 칸스텔의 청소를 마쳤다. 청소를 마치고선 의자에 앉았는데 패드에 알람이 울렸다.

'띵동'

이제 좀 쉬려 했는데 패드를 보니 인테인 알람이었다.

반복되는 삶이 또 시작된 거다.

***

또 똑같은 일상들의 반복이었다. 소미가 떠나고 정신없이 일만 했다. 일을 하지 않으면 살 수가 없었다.

계속 머릿속에 재혁의 얼굴과 소미의 얼굴들이 스쳐 지나갔고, 미쳐버리는 줄 알았다. 같이 사라지고 싶다는 생각을 매분 매초 반복했다.

아무생각도 들지 않게 더욱 일에만 집중했다. 점점 더 지쳐갔고, 쓰러져 응급실에 실려 간 적도 다 반수였다.

은하는 재판을 끝내고 법원 앞에 서 있었다.

처음 재혁을 만난 날처럼 하늘이 푸르렀다. 날씨가 맑은 그런 하늘에 소나기가 내리기 시작했다. 은하는 비를 맞으며 아무 말 없이 걸어갔다.

'탁'

모르는 어떤 사람이 우산을 은하에게 건네주었다.

은하는 놀라서 남자를 바라보며 말했다.

"뭐에요?"

"우산…. 같이 쓰자고요."

은하는 재혁의 생각이 계속 들었다. 머릿속이 혼잡했다.

왠지 모르게 거절을 못했다.

결국 집까지 데려다줬고, 결국 난 또 빠졌다.

또 똑같은 일이 반복될 수도 있는 일을 또 시작한 거다.

사람들은 결국 헤어질 걸 알면서도 시작한다. 사랑을, 그렇게 또 같은 결말이 날지도 모르는 사랑을 시작했다. 계속 재혁을 그리워 할거 같긴 하지만 서도 난 그를 사랑할 거다. 새로운 만남을 새로운 시작을 마음속에 하나의 잿덩이를 가지고 말이다.

*

많은 시간이 지났고, 하늘에는 우산과 닮은 별이 반짝였다. 그 별을 볼 때마다. 재혁이 떠올랐지만 버텨낼 수 있었다. 또 옆에 있는 사람의 죽음엔 익숙해지지 않겠지만 그래도 남의 시선에는 신경 쓰지 않기로 했다.

*

따뜻한 햇볕을 머금은 오후의 바람이 불고 있었다. 그 바람을 타고 풀내음이 불어왔다. 다양한 각색의

잎사귀들이 돋아났고, 꽃들이 만개해 아름다움을 보
여줬다.

"응애애 ㅇ유ㅠㅠ"
아기의 울음소리가 산부인과를 울렸다.
"수고 많으셨어요."
"감사합니다."
웃으며 말했다.

CHAPTER
(4)

지나간 시간

 야심한 새벽 밤바다에서 시끄러운 고함 소리가 났다. 까만 바닷가에 적막을 깨는 소리였다. 동시에 밤바다의 평화를 깨는 총소리가 두 번 울려 퍼졌다. 총소리 이후엔 어떤 것이 차가운 겨울 바닷물에 풍덩하는 소리와 함께 빠졌다. 물에 빠진 사람을 알리려는 듯 간신히 외치는 구조요청 소리가 났다.

 몇 분 뒤엔 그마저도 나지 않는 고요한 다시 밤바다로 바뀌었다. 살랑이듯 불어오는 겨울바람이 마치 아무 일도 일어나지 않았다고 말하는 듯했다.

*

*

*

태호는 중학교에 입학식 때 경태를 처음 만났다. 둘은 얼마 지나지 않아 서로의 아픔을 알아봤다.

태호의 아빠는 심각한 알코올 중독자였다. 항상 술에 취해 살았고 늘 태호와 그의 엄마를 폭행했다. 태호는 언제부터인지 기억도 안 날 때부터 다양한 폭력에 노출됐었다.

월급도 적은 소기업의 회사원이었던 그의 아빠와 편의점 알바를 하는 엄마의 밑에서 불우한 유년 시절을 보냈다. 쥐꼬리만 한 월급의 상당 부분을 술값으로 쓰고 나면 남는 것이 없었다.

한여름은 낡아 목이 덜덜 떨리며 돌아가는 선풍기한 대와 부채만으로 지내야 했다. 여름엔 옷을 벗으면 됐지만 항상 겨울이 문제였다. 새 옷을 살 돈이 없어 군데군데 헤진 옷을 여러 겹 껴입어야 했다. 한겨울의 매서운 바람을 오로지 난방도 제대로 나오지 않는 허름한 집이 버텨야 했다.

겨울마다 태호는 엄마와 부둥켜안고 서로의 체온을 의지하며 지냈다. 추위보다 둘을 괴롭히는 더 큰 문제가 있었다. 겨울엔 추우니 몸에 열을 내기 위해 마시고 여름엔 더우니 술을 마시는 그의 아빠였다. 술이 안 들어갔을 때도 친절하지 못한 성격이었다. 한번 마시기 시작하면 사리 분별이 안 될 때까지 마셨다. 그런 후 눈엣가시인 어린 태호를 때리는 것이 지속됐다. 아들에 대한 애정이라고는 찾아볼 수 없었다.

태호는 아무런 힘이 없던 초등학생을 지나 중학생이 되었다. 그곳에서 경태를 만났다.

*

*

*

경태가 어렸을 땐 그의 가정도 여느 가정과 다름없이 화목했다. 그의 가정은 경태가 초등학교 고학년에 들어갈 무렵 금이 가기 시작했다. 그의 아빠가 사업에 실패하며 집에 돈이 궁하게 되었다. 그로 인해 경태의 부모님은 싸우는 날이 많아졌다. 어린 경태가 느끼기에도 심각할 만큼 항상 서로에게 으르렁댔다. 경태는 학교에서 돌아와 자기 전까지 그의 부모님이 싸우는 소리를 들어야 했다. 이는 어렸던 경태에겐 크나큰 스트레스로 다가왔다. 결국 경태가 중학교에 들어갈 무렵 이혼을 했다. 그에겐 기쁜 일이었다. 하지만 금방 악몽으로 바뀌는 데 오랜 시간이 걸리지 않았다.

경태의 엄마는 도시 외곽에 작은 식당을 차렸다. 경태는 엄마와 살고 싶었지만 마음대로 결정할 수 없었다. 결국 경태는 아빠와 살게 되었다. 그의 아빠는 이혼하고 나서부터 입에 술을 대며 화풀이로 그를 폭행했다. 밝고 선했던 경태는 아빠와 살게 되면서부터 점점 엇나갔다. 반항이라도 하듯 동네 양아치들과 어울려 다니기 시작했다.

태호와 경태는 중학교 입학하면서부터 친해졌다. 누가 먼저라고 할 것도 없이 친구가 되었고 서로의 일상에 스며들었다. 둘은 매일 붙어 다녔다. 서로의 상황을 이해하고 공감했다. 아픈 상처가 있는 둘이 함께 놀 때면 여느 또래와같이 평범했다.

태호와 경태는 폭력에 노출되는 시간이 늘어감에 따라 점점 엇나갔다. 폭력적인 아빠의 밑에서 컸기에 폭력적으로 바뀌어 갔다. 집에 들어가기 싫어 가출한 양아치들과도 어울렸다. 둘은 미칠 듯 증오하는 그들의 아빠의 성격을 닮아갔다.

어느덧 둘은 고등학생이 되었다. 지극히 평범했던 날이었다. 다른 날과 다름없이 태호는 경태와 길거리에서 지나가는 사람들의 돈을 빼앗고 있었다. 더 이상 길거리에 사람이 안 보이자 심심해진 그들이었다.

"그만 가자."

"그래, 내일 보자."

태호의 말에 경태는 동의하고, 다음 날을 약속했다.

태호는 경태와 헤어지고 놀이터로 가 그네에 앉았다. 저녁노을이 뉘엿뉘엿 지고 있었다.

태호는 가을과 겨울이 싫었다. 해가 일찍 져 집에 일찍 가야 했기 때문이다. 그의 엄마는 그가 고등학생이나 됐지만 아직도 본인을 아기처럼 생각했다. 자신밖에 없는 엄마가 걱정하는 것은 원치 않는 태호였기에 밤이 되기 전엔 들어갔다. 조금 더 시간을 끌고 싫었지만, 가을바람이 쌀쌀했다.

태호는 거리에 하나 둘 씩 켜지는 가로등을 보며 중얼거렸다.

"아, 집에 들어가기 싫다. 아 씨 또 개자식 있으면 안 되는데."

태호가 돌멩이를 걷어찼다.

고등학교에 들어가면서부터 그의 아빠는 도박에도 손을 대기 시작했다. 도박할 돈을 주지 않는다는 이유로 자신과 엄마를 때리는 날이 늘어났다. 그럼에도 태호는 자신을 생각하는 엄마를 보며 꿋꿋이 살아왔다. 태호는 엄마 걱정에 집으로 갔다. 집은 이상하리만치 조용했다.

"뭐야, 왜 이렇게 조용해. 엄마!"

다른 날과 달랐다. 잘 다녀왔냐는 인사가 없었다. 태호는 너무 늦어 엄마가 화가 났다고 생각했다. 일부러 당당하게 목소리를 키워 불렀다. 하지만 돌아오는 대답은 없이 고요함만 가득했다.

"엄마, 왜 대답을 안 해."

조용한 집에서 왠지 모를 불쾌하고 불안한 기분이 들었다. 쌀쌀한 가을의 공기가 닿아 소름이 돋았다. 태호는 조용히 걸어가 안방 문을 열었다. 순간 자신이 눈앞에 펼쳐진 상황을 믿을 수 없었다. 천장의 줄에 매달려 있는 엄마가 눈에 보였다. 서둘러 엄마를 내렸지만, 엄마의 몸은 밖에 있다 들어온 태호보다 훨씬 차가웠다. 살리기엔 이미 늦은 후였다. 아침까지 얘기를 나누었다. 불안한 낌새 같은건 느껴지지 않았다. 어떠한 예고도 없이 너무나도 급작스러운 죽음에 태호는 울음조차 나오지 않았다.

　"엄… 엄마……. 엄마……."

　태호는 믿기지 않는 사실에 같은 말만 반복하여 불렀다. 지금이 꿈이길 바랐다. 하지만 얼음장처럼 차가운 엄마의 감촉은 꿈이 아님을 말해주고 있었다. 다리에 힘이 풀린 그는 방바닥에 털썩 주저앉았다.

　넋이 나가 주위를 둘러보았다. 방안의 빛바랜 작은 갈색 식탁에 정갈한 글씨로 눈길이 갔다. 엄마가 마지막으로 남기고 간 편지, 즉 유서였다.

　태호는 편지를 천천히 읽었다. 짧은 글이지만 진심이 꾹꾹 눌러 담겨 있었다. 그를 먼저 두고 가는 미안함, 아들을 사랑하는 마음과 그럼에도 도저히 버틸 힘이 없는 비참함이 담겨 있었다.

　유서를 다 읽자, 태호의 눈에서 참았던 눈물이 한 방울씩 떨어졌다. 한 번 떨어진 눈물은 쉴 틈 없이 쏟아졌다. 그렇게 몇 시간이고 통곡하며 지칠 때까지 울었다.

　이제 그가 이 악몽에서 버틸 이유가 사라졌다. 더 이상 지옥에 있을 필요가 없어졌다.

　태호 엄마의 장례식은 조촐하게 치러졌다. 조문객은 태호의 친구인 경태와 그의 어머니와 함께 일하던 동료 몇몇이 다였다. 쓸쓸하기 그지없는 마지막이었다. 다행인지 불행인지 태호 아빠는 끝까지 오지 않았다. 만약 장례식에서 마주쳤다면 태호가 무슨 일을 저지를지 그조차도 모르는 일이었다.

장례식이 끝난 지 얼마 지나지 않아 태호는 경태와 함께 동네 폭력조직에 들어갔다. 집에 있을 이유가 없는 태호가 경태에게 함께 들어가자 했다. 둘은 그렇게 10대 후반에 들어가 20~30대를 조직에서 활동했다. 처음엔 작은 동네 조직이었지만 규모가 점점 커졌다. 30대가 되고 보니 동네 조직이었던 건 어느새 도 단위 조직이 되어 있었다. 처음부터 함께 해 온 조직원이라 조직 내에서의 둘의 입지도 나날이 커졌다.

물론 여느 조직원들이 그렇듯 둘도 교도소를 밥 먹다시피 들어갔다 나오기를 반복했다. 교도소 생활을 함께하고 나오면 둘의 우정은 더욱 돈독해져 있었다. 그렇게 언제까지고 함께 할 것 같은 둘이었다.

* * *

하늘에서 느닷없이 소나기가 내렸다. 급작스레 내리는 비에 둘은 옷이 쫄딱 젖고 말았다. 둘은 비도 피하고 점심도 먹을 겸 근처 식당으로 들어갔다. 작은 식당에서 물에 젖은 옷과 머리를 대충 털고 들어가 자리를 잡았다. 콩나물국밥을 시키고 음식을 기다리고 있었다. 식탁에 수저를 놓으며 경태가 태연하게 말을 꺼냈다.

"나 이 생활 그만두고 어머니 식당이나 물려받아서 살란다."

예고 없이 소나기가 내리듯 갑작스러운 경태의 말에 태호는 멈춰버렸다. 터무니없는 말의 의미를 찾으려 몇 번이나 곱씹었다. 아무리 조직 내 입지가 커도 나갈 땐 대가가 따를 게 틀림없기 때문이었다. 대가를 치르고 나가는 사람을 오랫동안 봐온 경태가 모르고 하는 말은 아니라는 걸 알았다. 그랬기 때문에 경태 말이 더욱 이해되지 않았다.

"뭐? 미쳤냐?"

태호가 내뱉은 첫 마디는 의문이었다. 그리곤 바로 설득하려 했다.

"지금 몇십 년 전처럼 동네 애들이 하는 거 아니야. 지금 우리 조직 규모 어마어마해. 나가는 애들 못 봤냐? 보스가 순순히 나가게 해주던? 넌 수 없이 봐놓고선 그런 얘기가 나오냐?"

경태는 예상했다는 듯 표정 하나 바뀌지 않았다. 쉽게 내린 결정이 아니었다. 확고한 경태의 표정에 태호는 나가려는 이유가 궁금했다.

"이유가 뭐야?"

"은희랑 결혼할 거야. 애들도 낳을 건데 내가 계속

여기 있을 수 있겠냐. 어머니도 이제 연세 많으니 내가 식당 물려받아야지."

사랑하는 여자와 결혼하기 위해 조직을 그만둔다는 말에 태호는 어처구니가 없었다. 평생을 사랑이란 감정을 느껴본 적 없는 그였다. 조직에서 반평생을 살았으면서 이제 와 나가겠다는 것도 어이가 없었다. 그는 경태의 어리석음에 감탄이 나올 정도였다.

"고작 그런 이유로 나가겠다고? 알잖아, 나가면 어디 한 곳은 평생 불구로 살아야 하는 거."

반협박이었다. 너무 환상만을 생각해 혹시나 현실을 잊은 건가 하고 상기시켜주기 위함이었다.

"알아."

태호는 알면서도 뜻을 굽히지 않는 경태가 이해가 가지 않았다. 끝까지 말렸지만, 확고한 경태의 생각을 막을 수는 없었다.

결국 경태는 조직을 그만두었다. 경태가 고위 조직원이었지만 배신은 배신이었다. 보스는 나간다는 사람 잡지 않았다. 경태를 조용히 지하실로 데려갔다.

태호는 지하실로 내려가는 경태를 보았다. 결의를 다진 표정이었다.

잠시 후 밑에서 육중한 게 퉁 하는 소리와 함께 끔찍한 비명이 들려왔다.

태호는 귀를 틀어막았다. 가장 친한 친구의 목소리였다. 조직원들은 보스와 함께 올라왔다. 경태만 남아

있는 지하실에서 신음이 계속 들려왔다. 태호는 그가 나오길 기다렸다.

어느 정도 시간이 지나자, 경태가 한쪽 다리를 절뚝거리며 지하실에서 올라왔다. 그를 기다리고 있던 태호와 눈이 마주쳤다. 경태는 절뚝거리면서도 후련한 미소를 지었다. 태호는 그런 경태가 바보 같았다.

경태는 어머니의 식당을 물려받았다. 그가 원하던 대로 사랑하는 사람과 결혼했다.

* * *

시간은 흘러 어느덧 둘은 40대 후반이 되었다. 태호는 여전히 조직 생활을 하고 있었다. 하지만 그는 알게 모르게 보스의 돈을 탐내고 있었다.

경태는 자식이 둘이나 있는 아빠가 되었다. 그가 살아왔던 가정과는 다르게 화목한 가정을 꾸려 평범하게 살았다. 경태가 조직을 나가고 나선 태호가 종종 경태의 식당에 들러 서로의 안부를 물었다. 전보단 만나기 힘들었지만, 심적으로는 여유로웠다.

태호는 힘들 때마다 저녁 느지막이 경태의 식당으로 향했다. 경태는 언제나 태호를 반겨줬다. 하지만 시간이 지날수록 태호의 마음에 작게 경태를 시샘하는 마음이 나타났다.

"식당은 잘 되냐? 나간 거 진짜 후회 안 해?"

태호가 입버릇처럼 항상 물어보는 말이었다.

"그래. 안 해. 된장찌개 먹을 거지?"

경태의 대답도 변함없이 똑같았다.

태호는 경태가 끓여준 따뜻한 된장찌개를 먹었다. 가끔 마주치는 경태의 행복한 모습이 부러웠지만 내색하진 않았다.

또 시간이 흘러갔다. 문득 태호는 조직 생활을 그만두고 쉬고 싶다는 생각이 들었다. 하지만 나가봤자 몸이 망가지기만 하고 얻는 것이 없었다. 그래서 태호는 보스의 돈을 빼돌리기로 했다.

태호는 어릴 때부터 무엇이든 원하는 것은 얻고야 마는 성격이었고, 욕심이 많았다. 태호는 보스의 돈이 욕심났다. 보스의 옆에서 눈덩이처럼 커져만 가는 돈의 액수를 보면 눈이 돌아가지 않을 수 없었다. 하지만 들키면 죽음까지 이를 수 있었다. 말 그대로 목숨을 건 도박이었다. 하지만 이미 태호는 마음을 굳힌 후였다. 이왕 나가는 거 돈 좀 거하게 챙겨보자는 마음으로 도박을 선택했다.

매일 걷던 거리에 매양 보이는 초록의 나무가 있었다. 늘 똑같은 변함없는 날이었다. 경태의 식당으로 찾아가 된장찌개를 먹으며 태호는 본인의 계획을 말했다.

"나 보스 돈 빼돌릴 거야."

담담히 말하는 태호를 보곤 경태는 소스라치게 놀

랐다. 차분하고 진지한 태호의 얼굴에 진심이 보였다.

"박태호 미쳤어? 너 걸리면 죽어."

"안 걸리면 되지. 해외로 빼돌리는 척해서 너한테 맡겨 놓을게. 네가 잘 가지고 있어 줘. 나중에 조용해지면 그때 다시 나한테 줘."

"정신 나갔니? 말이 쉽지. 될 것 같아?"

당연히 말도 안 되는 소리였다. 하지만 태호의 의지는 확고했고 본인의 계획도 완벽하다고 믿었다. 실패하면 경태도 위험해지는 계획이었다. 하지만 오로지 성공할 거라는 생각에 경태의 안위는 안중에도 없었다.

"우리 친구잖아. 나 한 번만 도와주라."

"그러니까. 말리는 거야. 미친놈아."

경태는 수십 번이고 태호를 바득바득 말렸다. 하지만 악마의 속삭임에 꾀여 넘어가 버린 태호의 귀엔 천사의 나팔 소리 따윈 들리지 않았다. 경태가 조직을 나가기로 했던 결심처럼 태호도 확고했다.

몇 달 뒤 태호는 계획을 실행했다. 경태에게 사전 예고를 건너뛰었다. 보스가 여행을 간 틈에 몰래 돈을 빼돌려 경태에게 맡겨 놓았다. 사실 큰돈인지라 경태를 완전히 믿지는 않았다. 하지만 경태 말고는 돈을 맡길 곳이 없었던 터라 어쩔 수 없는 선택이었다.

태호는 밀항을 계획했다. 준비된 차를 타고 선착장

으로 갔다. 늦은 새벽 지름길로 가기 위해 비포장도로 위를 달렸다. 길게 이어지는 장마철에 비포장도로는 진흙 길로 바뀌었다. 황토색의 진흙들이 새빨간차를 얼룩덜룩 꾸미고 있었다. 평소 차를 애지중지하는 그였지만 지금은 차를 신경 쓸 때가 아니었다. 산 바로 옆의 도로라 자꾸만 존재감을 드러내는 나뭇가지들과 쏟아지는 비가 시야를 가렸다. 그는 한시라도 빨리 도착하고 싶었다. 속력을 높이자, 진흙길의 덜컹거림이 더욱 역동적으로 변했다.

배를 향해 가던 태호에게 불길한 소리가 들려왔다. 차들이 오는 소리였다. 혹시 모를 불안한 맘에 태호는 뛰기 시작했다. 이내 차들이 끼이이이익 하는 타이어 마찰음을 내며 태호의 뒤에 멈춰 섰다. 멈춘 차에서 검은 정장을 입은 사내들이 하나둘씩 내렸다. 태호의 직감이 틀리지 않았음을 나타냈다. 그는 이제 앞만 보고 달렸다. 태호를 부르는 목소리가 들렸다.

"박태호, 너 도망못가."

태호는 죽을힘을 다해 배를 향해 뛰었다. 조직원들은 사정거리 안에 총을 쏘기 시작했다. 순식간에 먹잇감을 쫓는 사자와 살기 위해 도망치는 사슴이 있는 아프리카의 세렝게티가 되어있었다.

태호는 총알을 피해 배에 닿았다. 그때 한 조직원이 쏜 총알이 태호의 왼쪽 다리를 관통했다.

"끄으으윽…."

처음 겪어보는 고통에 태호는 비명도 지르지 못하고 바다로 빠졌다. 뒤쫓아 온 조직원들은 태호가 익사했는지 확인하기 위해 끝까지 지켜보았다.

태호는 차가운 바닷속에서 살기 위해 버둥거렸다. 한쪽 다리로 수영을 해 배에 올라타는 것은 불가능에 가까웠다. 태호 몸에서 점점 힘이 빠져갔다. 차갑고 어두운 밤바다가 또 하나의 생명을 삼키는 시간이었다. 조직원들은 박태호가 바다에 잠기는 걸 보고 나서야 떠났다.

***

　태호는 낯선 방안에서 눈을 떴다. 주위를 둘러보았다. 텅 빈 새 하얀 방에서 이유 모를 아늑함과 따뜻함이 느껴졌다. 천국이 있다면 이런 곳이겠구나 라고 생각을 하던 중, 태호는 자신이 죽었다는 사실을 깨달았다.

　"나 지금 죽은 거야?"

　처음의 감정은 의문이었다. 죽음이 이렇게 허망했나 싶었다. 허망함을 온몸으로 느끼고 나자 다른 감정들도 수면 위로 떠올랐다.

　"그럼 내 100억은? 내 돈은!!"

　죽기 전 기억을 되돌리던 태호는 화가나 미쳐버릴 것 같았다. 분노의 감정들을 실컷 느끼고 나자 이내 다른 생각이 머리에 꽂혔다. 지상에서 한 일에 비해 천국에 왔다니 다행이라는 생각이 머릿속을 메웠다.

*

*

D-982 패드에 알림이 울렸다. 박태호 인테인의 정보였다.

이름 : 박태호
나이 : 47
직업 : 부동산 사장?!@
·
·
·

D-982가 맡는다.

D-982는 앞서 인테인의 별자리 생성에 도움을 주고 왔던지라 조금 피곤했다.

"아휴, 일이 끊이질 않네. 쉬고 싶은데……."

겉으론 툴툴거렸지만, 아스트가 부족하니 어쩔 수 없단 걸 알았다. D-982는 다시 무거운 몸을 이끌며 발걸음을 옮겼다. 이번에 인테인 정보는 기존과는 뭔가 좀 달랐다.

"뒤에 있는 이 문자들은 뭐야. 오류인가?"

처음 보는 정보에 오류인지 의심했다. 하지만 신격인 '헤라 님'이 관리하기에 오류가 쉽게 날 리 없다고 생각했다. 이런 쓸데없는 생각은 금방 머릿속에서 지워졌다.

"얼른 가서 찾기나 해야지"

D-982는 문서에 나온 얼굴이 눈에 띄었다. 알아보기 쉬운 특징을 가진 덕에 태호를 금방 찾을 수 있었다.

"아 저기 있다."

D-982는 태호에게 달려갔다. 태호는 첫눈에 보기엔 인상이 험상궂게 생겼었다. 하지만 겉모습으로 사람을 판단하는 건 좋지 않았다.

"안녕하세요. 전 박태호 씨를 전담해 도움을 줄 아스트 D-982입니다."

D-982는 그에게 다가가 상냥하게 자기소개를 건넸다.

"전담? 나는 그런 서비스를 시킨 적이 없는데?"

D-982는 순간 훅 들어온 반말에 놀랐다. 하지만 얼른 프로페셔널하게 부가 설명을 덧붙여 다시 설명했다.

"이곳은 죽은 자가 잠깐 머무는 칸스텔입니다. 지상 세계에선 천국이라고 불리는 곳이지요. 처음 칸스텔로 온 박태호 씨 같은 인테인을 아스트가 전담해 도움을 줍니다."

'천국이라 서비스가 좋군.'

D-982의 설명을 들은 태호는 천국의 전담 서비스

에 만족감을 느꼈다. 태호는 D-982를 바라보았다. 나이가 어려 보였다. 기껏 해봐야 20살쯤 돼 보였다. 이런 어린이가 자신을 맡는 다는게 살짝은 언짢았다. D-982는 설명을 이어갔다.

"칸스텔에서는 환생과 별자리……."

"환생할 수 있다고?"

환생이란 말에 깜짝 놀란 태호는 D-982가 말을 마치기도 전에 되물었다.

"환생을하시고 싶으면 아스트가 되어 일을 해 환생조건을 충족시키시면 하실 수 있습니다."

천국이니 바로 환생이 될 줄 알았는데 조건을 충족해야 한다니 생각보다 깐깐한 것 같았다.

"그런 것 말고 빠른 방법은 없어?"

태호는 환생이란 희망적인 소식에 기뻐 반말을 썼다. D-982가 처음 듣는 질문이 아니라 능숙하게 대답했다.

"없습니다."

단호한 D-982의 대답에 태호는 곤란한 듯 보이더니 이내 생각에 잠겼다.

D-982가 생각에 잠긴 태호를 기다리던 때 회의 소집이 내려졌다. 한 달에 한 번 있는 정기 회의였다.

"죄송합니다. 회의가 있어 금방 다녀오겠습니다."

D-982는 정중하게 고개를 숙이고 사라졌다.

회의가 끝났다. D-982는 태호가 있던 직원휴게실로 갔다. 하지만 어디에도 태호는 보이지 않았다. 다행히 주변에 인테인들이 많아 태호의 행방을 물어봤다.

"안녕하세요. 혹시 이렇게 생긴 남자를 본 적 있나요?"

태호가 있던 곳에 가장 가까이 있는 인테인에게 물어봤다.

"네, 봤어요. 저한테 환생 문 위치를 물어봐서 알려드렸어요. 알려드리니까 그쪽으로 뛰어가시던데요?"

"환생 문요? 감사합니다."

의아한 대답이긴 했지만, 첫 인테인이 바로 행방을 알아서 다행이었다.

환생 문 쪽으로 달려갔다.

*
*
*

"이게 무슨 일이야…!"

환생 문으로 한달음에 달려온 D-982가 탄식했다. 환생 문 앞은 말 그대로 아수라장이었다. 한 인테인이 환생 문 쪽으로 가기 위해 난동을 부리고 있었다. 환생을 위해 줄을 기다리고 있던 인테인들을 막무가내로 밀치며 앞으로 나아갔다.

몇몇 인테인은 다치지 않기 위해 옆으로 비켜서고, 끝까지 비켜주지 않으려 애쓰는 인테인도 있었다.

달려온 탓에 불안정해진 호흡을 가다듬었다. D-982는 불안한 마음이 들었다.

"설마 박태호 씨는 아니겠지?"

제발 본인의 의심이 틀리길 바라며 중얼거렸다. 난동을 부리는 인테인이 누군지 자세히 보기 위해 눈을 찌푸렸다.

D-982는 자신이 보고 있는 상황을 믿고 싶지 않았다. 착각이길 바랐지만 태호가 맞았다. 이마와 등에 식은땀이 흘렀다. 담당 인테인이 사고를 치면 수습하는 건 담당 아스트의 몫이기 때문이다.

"박태호 씨!!"

D-982는 있는 힘껏 그를 불렀다. 지금 그가 난동을 부리면서까지 환생하려는지 이유를 물을 시간이 없었다. 태호를 막는 게 우선이었다.

"박태호 씨는 지금 환생을 하실 수 없어요!"

D-982의 말이 들리지 않는 건지 아니면 듣지 않는 건지 계속 앞으로 나아갔다.

"절차를 어기고 환생 문을 통과하시면 평생 영혼이 되어 지상을 떠돌아야 해요."

태호는 순간 멈칫했다. 하지만 D-982 말을 믿지 않았다. 그대로 환생 문을 통과했다.

칸스텔 전체에 경보가 울렸다.

'위용 위용 위용 위용 위용 위용 위용 위용 위용 위용 위용 위용 위용 위용 위용.'

'D-982 담당 47세 박태호 환생 문 통과.'
'D-982 담당 47세 박태호 환생 문 통과.'

"말도 안 돼."

D-982 얼굴이 하얗게 질렸다. 100년에 한 번씩 이런 일을 벌이는 인테인들이 있었다고 들었다. 하필 재수 없게 자기가 걸렸다고 생각했다.

곧바로 선배 이디첼의 호출로 불려 갔다. D-982 발걸음에는 걱정과 불안들이 다닥다닥 붙어있어 쉬이 떨어지지 않았다. 어떻게 수습해야 할지 몰라 두려웠다.

사무실 분위기는 D-982가 상상했던 것보다 훨씬 심각했다.

"박태호 씨는 지옥으로 가야 할 인테인이야."

그 말은 칸스텔에 오류가 났단 뜻이었다.

"아니, 그게 어떻게 가능할 수가 있어요?"

상상해 본 적도 없는 상황에 D-982는 경악했다.

"진정해. 칸스텔과 지옥 시스템 간의 오류가 있었던 모양이야. 그래도 박태호 말고는 지옥 인테인은 더 없으니 박태호만 잡아 오면 돼."

다행인지 불행인지 모를 그 말에 D-982는 되물었다.

"잡아 오라니요?"

"박태호는 네 담당이니 당연히 네가 수습해야지. 환생 절차를 어겼으니, 영혼이 된 상태로 지상을 떠돌고 있을 거야. 지금쯤 지옥 아스트에게도 연락이 갔을 거야. 함께 내려가 잡아 와."

"네, 알겠습니다."

급작스러운 명령이었다. 하지만 어쩔 수 없었기 때문에 D-982는 크게 한숨을 한 번 내쉬곤 사무실 밖으로 나갔다.

약속된 장소로 가자 낯선 남자가 인사를 건넸다.

"안녕하세요. H-4231입니다."

이동하는 중 들던 걱정과 현실은 다행히 거리가 멀었다. 지옥 아스트는 처음 보았다. 지옥의 이미지를 생각하며 막연하게 걱정했다. 하지만 직접 만나니 괜한 걱정이었다. 생김새도 칸스텔 아스트와 비슷했고 성격도 꽤 서글서글해 보였다. 나이 차이도 얼마나 보이지 않았다. 많아야 세 살 정도. 마음이 잘 맞을 것 같았다.

"안녕하세요. 박태호 씨를 맡았던 D-982입니다."

서로 간단한 인사를 주고받았다.

"느닷없는 오류라니 앞이 깜깜하죠?"

같은 처지라 서로의 심정을 말하지 않아도 알 수 있었다. D-982는 혼자가 아니라는 사실에 안도했다.

"그러게요. 빨리 찾을 수 있으면 좋겠네요."

생각한 대로 대화가 통해 다행이었다. 간단한 얘기들을 하며 긴장을 풀었다. 더 이상 지체할 시간이 없었다. D-982와 H-4231 서둘러 환생 문을 통해 지상으로 내려갔다.

*

*

*

환생 문을 통과하기 위해서 조건을 충족해야 한다니, 여간 웃기는 소리였다. 전생에 숱한 범죄를 저질렀던 태호가 칸스텔에 왔다는 것은 오류가 틀림없었다.

태호는 오류가 고쳐지면 지옥에 갈 걸 알고 있었다. 그는 본능적으로 환생 문을 향해 달려갔다. 환생 문에 다다르자, 줄을 선 사람들이 보였다. 줄이 길게 늘어져 있었다. 고민하는 중 통과하는 사람들을 보았다. 고민할 시간이 없었다.

"지금을 놓치면 기회는 없어."

태호는 인테인들을 한명 한명씩 밀치며 앞으로 갔다. 환생 문에 가까워졌을 때, 뒤에서 태호를 부르는 목소리가 들려왔다. 고개를 돌리자 아까 자신을 담당하던 D-982 모습이 보였다.

　"절차를 지키지 않고 환생 문을 통과하시면 영혼이 되어 지상에 떠돌 수밖에 없어요."

　태호는 멈칫했다. 하지만 오류가 난 줄 모르는 이의 말이었다. 그의 생각은 달라지지 않았다. 바로 환생 문에 몸을 내던지듯이 뛰어 들어갔다. 따뜻한 하얀 빛이 태호를 감싸 안았다. 성공이라고 느끼는 순간 태호 몸이 뒤틀리는 듯했다. 마치 몸과 영혼이 분리되는 것 같았다. 태호는 머리가 깨질 것 같은 두통과 살이 찢겨 나가는 듯한 고통에 몸부림을 치다 정신을 잃었다.

＊＊＊

　얼마 후 태호가 정신을 차렸다. 무언가 허전했다. 마치 오랜 시간 입고 있던 무거운 갑옷을 벗은 듯 몸이 지나치게 가벼웠다. 주위를 둘러보니 지상에 내려와 있었다. 태호는 영혼만 남은 채였다. D-982의 말이 사실인듯했다. 혼란스러웠지만 일단은 경태를 만난 후 다음을 생각하기로 했다.

　"빨리 경태를 만나야 해."

태호는 단순히 걷기만 하는데 마치 뛰는 것 같은 속도였다. 이질감이 들었다. 영혼의 상태라 더욱 빨리 이동할 수 있었다. 이미 죽은 몸이지만 돈을 포기할 수는 없었다.

***

"우와…."

D-982는 처음 보는 풍경에 압도당해 경탄하였다. 처음 보는 지상은 칸스텔과는 다른 매력이 있었다. D-982의 가슴이 두근거렸다.

칸스텔은 아무래도 죽은 영혼들이 오는 곳이라 인테인들의 표정에서 우울함과 슬픔이 가득했다. 그에 반해 지상은 훨씬 생기 있었다.

삶이란 단어가 몸에 와닿는 곳이었다. 지나가는 사람들의 얼굴에는 각가지 다양한 표정들이 자리 잡고 있었다. 머무는 자리마다 새로운 구경거리가 넘쳐났다. 푸릇푸릇하게 싱그러운 나무와 풀들, 바삐 움직이는 사람들 사이로 쏟아지는 따스한 햇살, 빵빵거리며 소란스레 거리를 가득 메운 자동차와 높이 솟아오른 건물들까지.

D-982를 설레게 하는 데엔 충분했다. 문득 자신도 전생엔 이런 곳에서 살았을까 하는 궁금증이 생겼다. 이곳의 일원이 되어 아리따운 지상을 더 즐기고 싶었다. 하지만 내려온 목적은 따로 있었으므로 아쉬운 마음을 뒤로하고 걸음을 재촉했다.

"뭐부터 해야 하죠?"

D-982는 같은 고민을 할 땐 혼자보단 둘이 나으니 H-4231에게 물었다.

"박태호의 오래된 친구가 운영하는 '경태네 집밥'으로 가보죠."

H-4231은 지옥에서 온 파일을 보며 앞장섰다.

식당에 들어선 D-982와 H-4231은 평범한 사람처럼 자리를 잡고 앉았다. 오래된 식당 내부에는 맛있는 된장국 냄새가 났다.

"헐. 완전 맛있는 냄새 나요. 그죠?"

D-982가 들뜬 표정으로 말했다.

"그러게요. 맛있는 냄새가 나네요."

이에 H-4231도 맞장구를 쳤다.

"어서 오세요. 무슨 음식 드릴까요?"

사소한 대화를 나누던 둘에게 다가온 경태는 살갑게 말을 붙이며 주문을 받았다.

"된장국 2개 주세요."

D-982는 망설임 없이 된장국을 시켰다.

된장국을 기다리며 H-4231는 태호와 관련된 이야

기를 꺼냈다.

"갈 만한 곳은 딱히 없었기 때문에 바로 올 거예요."

D-982는 내심 태호를 늦게 발견하길 바랐다. 언제 올지 모르는 지상을 마음껏 구경하고 싶었다.

곧이어 따뜻한 김이 모락모락 피어오르는 음식이 나왔다.

D-982는 갓 지은 따뜻한 밥을 구수한 된장국에 말았다. 입이 데지 않게 후후 불어 한입 먹자 구수하고 담백한 맛이 입안에 퍼졌다. 동시에 몸 안에 따뜻한 기운이 돌았다. D-982는 만족스러운 웃음을 지었다. 마주 보며 밥을 먹고 있는 H-4231를 보았다. 그도 맛있게 먹고 있는 것 같았다. 태호를 잡으러 온 둘이었지만 밥을 먹는 동안은 태호 생각은 떠오르지 않았다.

식사 후 배를 든든히 채우고 나서야 태호 생각이 났다.

"식당에 계속 있는 것도 이상하고, 급할 건 없으니 다음을 기약하지요."

"네, 좋아요."

D-982는 태호가 늦게 잡힐 것 같았다. 사실 D-982의 바람이었다. 그럼에도 어쩐지 좋은 예감이 들어 신이 났다. 식당 밖을 나서며 콧노래를 흥얼거렸다. 약속된 7일 안에 잡기만 하면 됐다.

*

*

*

　박태호는 몇 날 며칠을 경태를 살피며 있었다. 처음 며칠은 영혼인 상태로 혼란스러워했다. 죽음과 영혼만 남아 떠도는 상태를 한 번에 감당하기란 벅찬 일이었다.

　자신의 암울한 처지를 부정이라도 하려는 듯 이상 행동을 벌였다. 자신의 목소리를 전하려 고래고래 소리치기도 하고 다른 사람의 몸에 들어가려고도 했다. 찾아오는 손님들의 몸으로 돌진했다. 하지만 이미 다른 영혼이 들어있는 몸으로 들어가는 것은 불가능했다.

　계산이 빠른 태호는 점차 자신의 상황을 인정했다. 인정하고 나니 이성을 되찾을 수 있었다. 하지만 답도 없는 상황에 오는 감정은 무기력함과 살아있는 사람에 대한 시기 질투뿐 이었다.

　태호의 상황과는 전혀 다르게 경태는 무탈하게 잘 지내고 있었다. 태호는 그 평범한 일상을 부러워했다. 항상 그랬듯 식당은 활기차게 사람들이 오갔다. 주로 단골들이 많이 찾아가는 식당이었다. 손님들을 반갑게 맞이하며 이야기를 나누는 경태의 모습이 보였다.

낡지만 정감 있는 식당 안에선 웃음소리와 말소리가 끊이질 않았다.

"내 돈을 혹시 다 써 버린 건 아니겠지?"

태호는 몸이 없어 돈을 쓸 수 없었다. 그럼에도 남이 쓰는 것은 용납이 안 됐다. 자신의 죽음과 맞바꾼 돈이다. 미련 때문인지 늘 경태 주위를 맴돌았다. 이미 죽어버린 자신과는 다르게 행복한 가정을 꾸리고 즐겁게 살아가는 모습이 꼴 보기 싫었다.

*

*

*

"다녀올게."

"응. 잘 다녀와."

7일째 되는 날 경태의 가족들이 외출했다. 아직 식당 문을 열지 않았다. 경태 혼자 영업준비를 하고 있었다.

'딸랑'

누군가 식당 문을 열고 들어왔다.

"손님. 아직 영업 시작 안 했어요."

들어온 사람의 얼굴을 본 경태의 얼굴이 어두워졌다.

"퉤. 잘 지내지?"

조직원들이 식당을 찾아왔다. 여기까지 찾아온 걸 보면 태호의 계획이 들킨 듯했다. 태호가 괜찮을지 걱정이 되었다. 하나둘씩 들어오며 바닥에 침을 찍찍 뱉어댔다. 15명 남짓한 숫자였다. 금세 먼지 하나 없이 깔끔해 보이는 검은 정장을 입은 사람들로 식당이 붐볐다.

"박태호 돈 어디다 빼돌렸어!!"

조직원 하나가 다짜고짜 소리쳤다.

"박태호가 죽기 전 만난 것 다 알아. 돈 어디에다 뒀는지 말해!!"

'태호가 죽었다니?' 그 말에 경태는 얼어붙었다. 믿고 싶지 않았다. '태호가 죽었는데 왜 이곳에 찾아왔지?' 거짓 협박이길 바랐다. 태호가 죽었다니 세상이 멈춘 듯 했다.

야구 방망이를 들고 온 조직원들은 경태에게 소리를 지르며 식당 물건들을 깨부쉈다. 조직을 배신한 태호와 조직을 나간 경태였기에 내통했다는 합리적인 의심에서 비롯되었다.

영업 직전이라 단정하게 정리되어 있는 물건들이 어질러졌다. 그 모습을 지켜보면서도 경태는 아무런 행동도 취할 수 없었다. 몸이 굳은 것 같았다.

식당 구석에서 지켜보는 태호는 경태가 왜 아무것도 하지 않는지 의아했다.

"돈은 무슨 돈? 태호 못 만난 지 한참 됐어. 내 식당에서 나가"

굳은 입이 저절로 움직여 말을 뱉어냈다. 그 말조차 태호를 두둔하는 말이었다.

"거짓말하지 마. 다 알고 왔으니까."

조직원들이 식당 부수기를 멈추고 구타를 가하기 시작했다. 맞서야 했지만 굳이 하지 않았다. 실컷 맞고 나면 거짓말이라고 할까 봐. 맞고 나면 악몽을 꾼 듯 소스라치게 놀라며 깨어날까 봐.

계속되는 구타에 피범벅이 되었다. 여기저기 몸에 상처가 생겨났다. 그럼에도 경태는 끝까지 말하지 않았다.

보고 있는 태호는 경태가 걱정되었다. 언뜻 보기에도 심각할 정도였다. 경태가 어릴 적부터 맷집이 좋긴 했지만 걱정하지 않을 수 없었다. 하지만 태호는 할 수 있는 게 아무것도 없었다.

'저러다 죽는 거 아냐? 참지 말고 덤벼. 등신아.'

무슨 생각인지 맞고만 있는 경태가 답답했다. 왜 방어만 하는지 이유가 가늠이 안 됐다.

태호의 걱정을 누가 알아주기라도 한 듯 밖에서 경찰차 사이렌 소리가 점차 크게 들려왔다. 사이렌 소리를 들은 조직원들은 하던 것을 멈추었다.

"하…. 지독한 놈. 다시 보자."

조직원들은 한숨을 쉬더니 식당 문을 발로 강하게

차며 서둘러 나갔다.

태호는 경태를 내려다보았다. 끝까지 비밀을 지킨 이유가 궁금했다.

'끝까지 의리를 지키기 위한 거야? 아니면 돈이 욕심나는 거야.'

"하……."

자리에서 일어난 경태가 한숨을 쉬었다. 그 한숨의 의미를 모르는 태호는 다음 말을 기다렸다.

"내가 어떻게 해야 하니 이 돈을. 네가 죽었는데 내가 뭘 어떻게 해야 해…. 알려 줘봐."

답답한 마음에 경태는 혼잣말을 중얼거렸다. 그의 눈에서 눈물이 맺혔지만 흐르지 않았다. 태호는 경태가 끝까지 그를 위했음을 깨달았다. 그의 마음을 깨닫자 여러 감정이 밀려왔다. 온전히 믿지 못했던 것에 대한 미안함과 자신을 생각해 주는 마음에 고마움을 느꼈다. 그 속의 미안함과 죄책감이 더 커져 고마움을 눌러버렸다. 이제 와서 용서를 구하지도 감사 인사도 할 수 없었다. 그저 엉망이 되어버린 경태의 식당과 상처와 피투성이 경태를 바라볼 수밖에 없었다.

"경태야 내가 미안해…. 내가 잘 못했어……. 네 말을 들었어야 했는데. 내가 무슨 짓을 한 거야."

들리지 않을 말 이란 걸 알았다. 그럼에도 태호는 끊임없이 경태를 향해 사과와 용서를 구했다.

"네가 말릴 때 네 말을 들었어야 했는데. 왜 그랬지… 왜 그랬을까?"

태호는 그때 경태의 말을 듣지 않은 것에 대해 끊임없이 후회하고 자책했지만, 바뀌는 것은 없었다.

*

*

*

D-982와 H-4231는 오늘도 점심도 먹을 겸 태호가 있는지 살펴보기 위해 경태의 식당으로 향했다. 오늘은 태호를 잡아야 했다. 오늘도 못 잡으면 무슨 일이 벌어질지 몰랐다. 막상 마지막 날이 되자 D-982는 오늘도 허탕을 치면 어떡하나 걱정되었다. 마감이 다가옴에 따라 초조함도 함께 다가왔다.

뜨거운 햇볕이 D-982와 H-4231에게로 쏟아졌다. 가로수 위에 새소리가 정겨웠다.

한여름의 무더운 바람을 느끼며 평화로운 길을 걸었다. 그때였다. 어디선가 와장창하며 유리창이 깨지는 소리가 들렸다. 경태의 식당이 있는 쪽에서 소리가 났다. 경태가 조직에 있던 과거가 있으니 불안감이 엄습했다. D-982와 H-4231는 혹시 몰라 경태의 식당으로 빠르게 달려갔다.

H-4231의 눈에 먼저 식당이 보였다. 깨진 식당 문

사이로 검은색 정장을 입은 사람들이 경태를 때리는 모습이 보였다. 주위엔 온통 깨지고 부서진 물건들이 널브러져 있었다. 휴대폰이 D-982에게 있어 신고하지 못했다. H-4231는 뒤에서 달려오고 있는 D-982를 향해 소리쳤다.

"경찰에 신고해 주세요! 김경태 씨의 식당에서 싸움이 났어요."

D-982는 그 말을 듣자마자 경찰서로 전화를 걸었다.

"여보세요. 거기 경찰서죠? 여기 '경태네 집밥'에서 싸움이 났어요. 빨리 와주세요."

뒤에 도착한 D-982는 현장을 보고 깜짝 놀랐다. 다행히 경찰서가 멀지 않은 곳에 있었다. 올라오며 신고를 한 덕에 금방 경찰차가 사이렌 소리를 내며 달려왔다. 소리를 들은지 검은 정장을 입은 사람들이 식당 밖으로 우르르 나와 차를 타고 도망쳤다.

경찰이 경태를 부축했다. 경태의 몸 각각에서 피가 흐르고 있었다. D-982의 눈에 경태의 상처가 위중해 보였다. 여지껏 사람의 피를 본 경험이 적은 D-982는 적잖이 충격을 받았다. 하지만 심각해 보이는 외관과는 다르게 잘못된 곳은 없는 듯했다. 경태는 바로 서 아무 일도 아니라고 했다.

경찰이 떠나고 D-982와 H-4231가 식당 안으로 들어갔다.

경태는 말없이 식당 안을 청소했다.

"안녕하세요."

"죄송합니다. 오늘은 장사를 못하겠네요."

"박태호 씨를 아시죠?"

H-4231가 물었다.

경태는 여러 가지 감정이 뒤섞여 복잡한 표정으로 보았다.

바로 그때였다.

"박태호 씨."

D-982가 태호의 영혼을 보았다.

몸에서 흐르는 피를 닦고 있던 경태는 놀라 된장찌개를 해주겠다며 자리를 피했다. 태호를 보기 위해 날마다 찾던 식당이었기 때문에 메뉴를 말하지 않아도 경태가 알 수 있었다. 자리를 옮기기 전 신고해줘 고맙다는 감사 인사도 잊지 않았다. 둘은 어떤 상황인지 짐작이 가서 굳이 무슨 일인지 물어보지 않았다.

D-982와 H-4231는 경태가 원하는 대로 앉아 된장찌개를 먹는 게 최선이었다. 둘은 경태가 나오기 전 가볍게 가게 바닥을 치우는 걸 도와주었다. 그들이 할 수 있는 최대한의 위로였다.

된장찌개 냄새가 났다. 곧이어 경태가 뜨거운 된장찌개를 들고나왔다. 누구도 말하지 않았지만, 이번이 마지막인걸 모두가 알았다. 마지막까지 따뜻한 밥상이었다.

박태호는 D-982를 단번에 알아보았다. 그럼에도 기겁하며 도망가지 않았다. 잡히지 않으려 D-982와 H-4231가 없는 밤에만 식당을 서성이던 지난날과는 전혀 다른 태도였다. 겉으로 보면 다 포기한 듯 보였지만 실은 경태를 위해 잡혀가기로 마음먹은 것이었다. 미련을 가지고 지상에 머무르는 시간이 많아질수록 인테인들이 찾아올 것이다. 언제까지고 경태 곁에 남아 있을 수 없었다.

태호는 인테인들의 방문이 지속되면 경태에게 해가 간다 생각했다. 일찍 잡혀가는 편이 좋다고 생각했다.

태호는 이제 경태가 그 돈을 어떻게 쓰든 상관없어 졌다. 어차피 죽어서 쓰지도 못하니 그 돈으로 뭘 하든 경태가 원하는 대로 사용하길 바랐다. 이제 와 돌아보니 어차피 쓰지도 못할 돈 때문에 뭐 하러 칸스텔에서 나왔나 싶었다. 그래도 나왔기 때문에 지옥으로 가기 전 마지막으로 경태를 볼 수 있었다. 이것을 위안 삼기로 했다.

***

태호는 가게 앞에서 기다리고 있었다.

"박태호 원하는 걸 다 했니?"

H-4231가 하는 처음이자 마지막 질문이었다. 태호

는 이 말에 무엇인가 말하려는 듯 입을 뗐다. 하지만 말이 나오지 못하고 다시 입이 닫혀버렸다.

"이제 가자."

정말 가야 할 시간이 왔다. 그 말에 태호는 아무 대답도 하지 않았다. 무엇을 생각하는 듯했다.

D-982는 H-4231가 박태호를 잡아 지옥으로 같이 돌아가는 과정을 지켜봤다. 그리 복잡하지도 시끄럽지도 않았다. 마지막 날에 제자리로 돌아가 다행이었다.

태호를 돌려보내니 더 이상 D-982가 지상에서 할 일이 남아 있지 않았다. 이제 다시 칸스텔로 돌아가야 할 때였다. 짧은 시간이었지만 지상에서 겪었던 추억들이 소중히 D-982의 마음 한 켠에 자리 잡았다.

지상에서의 일을 겪으며 여러 감정을 겪었지만, D-982는 마지막으로 본 경태와 태호를 보고 많은 생각이 들었다. 세상에 절대 악이란 것과 절대 선이란 것이 있나 싶었다. 물론 태호는 숱한 범죄를 저지르고도 반성하지 않는 사람이었다. 삶을 사는 동안 선한 일이라고는 하지 않았던 것도 맞다. 하지만 경태는 자신의 잘 못을 깨닫고 바로잡고자 하였다.

D-982는 만약 경태가 태호를 생각하는 마음을 태호도 조금은 일찍 알았었다면 달라지지 않았을까 하는 생각이 자꾸 들었다. 오늘 봤던 경태가 태호를 위

해 비밀을 지키는 것과 그런 그를 위해 지옥으로 순순히 잡혀가던 태호를 생각해 봤다.

D-982는 이런 것이 우정인가 싶었다. 경태와 태호는 다른 방법으로 서로에 대한 우정을 보여줬다. 다양한 인테인 들을 봐왔지만 D-982가 봐 온 인테인들은 칸스텔의 심사를 거친 인테인들 뿐이었다.

세상에는 다양한 사람들이 존재한다. 세상에 치여 부정적인 선택을 한 사람이 비단 태호만은 아닐 것이다.

D-982는 자신이 너무 안온한 마음으로 세상을 바라보았단 걸 깨달았다. 마치 자신이 우물 안의 개구리가 된 기분이었다.

태호를 만난 것이 재수 없는 일만은 아님을 깨달았다. 처음엔 막막하고 황당했지만 모든 경험이 그러하듯 D-982를 한 층 더 성장시키는 계기가 되었다.

D-982는 앞으로 환생을 하기 전까지 더 다양한 사람들을 만나 그들의 모습을 진정으로 마주하고 싶어졌다.

*

*

*

경태는 오늘 식당 문을 열지 않기로 했다. 되도록

빨리 태호의 마지막을 맺어 편히 보내주고 싶었다. 평소 식당으로 나서는 시간보다 조금 일찍 일어났다. 아직 해가 뜨지 않아 어두웠다. 밥은 간단히 차려 먹었다. 어제 남은 밥을 꺼내 먹었다. 돌리지도 않아 차갑고 딱딱했다. 마치 지금 마음속을 씹고 있는 듯했다. 식어 굳어버린 밥은 씹어 삼키기 어려웠다. 다른 생각은 하지 않고 밥을 먹는 데만 집중하려 애썼다. 물리적 힘듦이 심리적 고통을 지워주길 바랬다.

어제부터 경태는 어디로 가야 할까 고민을 했다. 하지만 역시 태호의 엄마 곁이 가장 좋을 듯싶었다.

태호가 어디서 죽었는지도 몰랐다. 태호의 뼈도 찾을 수 없었다. 그저 넋을 기리는 것만 하기로 했다.

해가 서서히 뜰 때쯤 밖으로 나섰다. 잠에서 깬 막내가 경태를 붙잡았다.

"아빠 어디가?"

순수한 어린아이의 물음이었다. 그 물음에 대답하는 게 왜인지 아팠다.

"아빠 제일 친한 친구 배웅하러 가"

그럼에도 경태는 태호의 마지막을 담담히 입에 담았다.

"아아 그렇구나. 잘 다녀와."

막내는 아직 졸린지 다시 들어가 잠을 청했다. 경태는 현관문을 열고 밖으로 나갔다. 아직 여름 아침의 냄새가 선선했다. 생전 태호가 가장 좋아하는 계절의 향기였다.

어제 다 치우지 못한 식당을 정리하고 가야 했다. 식당 안은 다소 정리되어 있었다. 어제 식당 문을 닫기 전 마지막으로 온 손님들이 도와주고 간 덕이었다. 태호에 관해 뭔가를 말하려 했던 것 같은데 끝까지 듣질 못했다. 경태는 그 손님들을 아마 다시 보지 못할 것 같았다. 그저 그런 막연한 느낌이 들었다.

아무 말도 하지 않고 묵묵히 식당을 정리했다. 부서진 의자와 식탁들을 버렸다. 바닥에 묻은 피를 닦고 쏟아진 수저들을 모아 씻었다. 식당을 치우는 데만 3시간이 걸렸다. 치우는 동안에는 태호를 생각하지 않았다.

이제 태호를 보내주러 가야 했다. 남들에겐 태호는 나쁜 놈에다 범죄자이겠지만 경태에게는 둘도 없는 소중한 친구였다. 비단 어릴 적 친구여서만은 아니었다. 자신과 어렸을 적부터 비슷한 것도 많았고 닮은 것도 많았다. 특히 남들에게 말하지 못할 가정환경이 비슷했던 둘이었다. 당연히 서로만 통하는 게 많았다. 힘든 일, 기쁜 일 등 무엇이든 같이 겪었고 같은 길을 걸으며 커갔다. 경태에게는 서로 함께인 게 당연했고 언제까지고 곁에 있을 것 같던 친구였다. 그랬던 친구의 죽음이 돈 욕심 때문이라니 허망하기 그지없었다.

올라오는 중 해가 밝게 떠 하루의 시작을 알렸다.

여름의 태양은 땀을 흘리게 했다. 흐르는 땀이 상처에 닿으면 경태의 마음과같이 쓰라렸다.

　도착하니 해가 중천에 떠 땅을 뜨겁게 달구고 있었다. 찾아오지 못한지 몇 해나 되는 장소였다. 태호와 조직에 있을 때는 해 년마다 함께 찾아왔었다. 하지만 가정을 꾸리고 나니 찾아오기가 힘들어졌다. 그렇게 한동안 발길이 끊겼던 곳이었다. 다음은 태호와 함께 오려 했던 곳이었다. 그를 위해 올 줄은 몰랐다.

　사람의 발자취가 끊긴 시간이 제법 흐른 모양이었다. 무덤과 주위에 풀들이 무성하게 자랐다. 잡초들을 뽑고 주변을 가꾼 후 무덤 하나를 더 만들었다. 비록 안에 넣을 것은 없지만 만드는 손길 하나하나에 정성을 담았다. 다 만들고 나자 정말로 태호의 죽음이 실감이 났다. 한 번도 흐르지 않던 눈물이 쏟아졌다. 굳이 눈물을 닦지도 멈추지도 않았다. 그저 나오는데로 쏟아 흘려보냈다. 태호를 편히 보내주려면 자신의 마음도 편히 비워야 한다고 생각했다.

*　*　*

어느덧 해가 뉘엿뉘엿 지고 있었다.
"태호야, 넌 틀림없이 지옥에 갈 거야."
멀리 있을 태호에게 말을 걸었다.
"거기서 조금만 기다려라. 내 인생 좀 살다 갈 테

니까. 만나면 같이 또 놀아야지."

　말하며 자연스레 웃음이 났다. 정말 태호가 옆에 있어 장난을 치는 것 같아서.

　자주는 못 올 듯싶었다. 그저 전처럼만 그렇게 쭉 볼 것 같았다.

CHAPTER
(5)

푸르름이 사는 곳

둘의 첫 만남은 계절에 맞게 푸르르고 싱그러웠다. 검은색의 콘크리트는 뜨거운 태양에 익어 아지랑이가 피어오르는 무더운 여름이었다. 그날도 은호는 친구들과 놀이터를 제 집처럼 쏘다니며 신나게 놀았다. 오후가 되자 친구들은 점심을 먹어야 한다며 집으로 올라가 버렸다. 친구들이 집에 들어가자 놀 사람이 없어진 은호는 금방 심심해졌다. 오늘 옆집에 이웃이 이사와 집이 시끄러우니 나가서 놀라는 부모님의 말씀에 집에 들어가지도 못하였다. 무엇을 하며 놀지 고민하며 서 있는 은호에게 뜨거운 햇볕이 내리쬐자, 몸에 힘이 금방 빠졌다. 쉴 곳을 찾던 은호의 눈에 놀이터 옆 커다란 나무 밑의 그늘이 눈에 보였다. 그늘 아래로 숨자, 태양 빛이 들어오지 못하고 바람만 부니 금방 시원해졌다. 그렇게 은호는 누군가 놀이터로 와 놀기를 기다리며 나무 그늘 밑에 숨어 누워있었다.

그날의 연우는 이사 첫날이었다. 처음 만난 친구에게 주기 위한 아이스크림과 자기가 먹을 아이스크림을 꺼내 두 손에 하나씩 쥐어 들었다. 냉동고에서 막 꺼내 시원하다 못해 차가울 정도인 아이스크림을 들고 밖으로 나갔다. 연우는 놀이터로 나와 주변을 두리번거렸다. 연우의 시선이 놀이터 옆 커다란 나무 그늘에서 휴식을 취하고 있는 은호에서 멈췄다. 또래를 만나 기뻤던 연우는 성큼성큼 은호에게 다가가 살가운 인사를 건넸다.

"안녕! 덥지 않아? 아이스크림 하나 먹을래?"

인사를 건넨 후엔 두 손에 들려 있는 아이스크림 중 하나를 건넸다.

처음 보는 아이였지만 더위에 지쳐 있던 은호는 고민하지 않고 아이스크림을 받아먹었다.

연우는 아이스크림을 먹는 은호의 옆에 앉아 본인의 것도 비닐을 터 입에 넣었다. 시원한 나무 그늘에서 차가운 아이스크림을 먹자, 몸에선 금방 냉기가 돌았다.

아이스크림을 다 먹고 난 은호는 본인의 옆에 있는 아이가 궁금해졌다.

"넌 이름이 뭐야? 몇 살이야? 이사 왔어? 혹시 우리 옆집으로 이사 온 사람이 너야?"

은호는 또래의 어린아이답게 궁금한 질문이 많았고 그 질문들을 한 번에 쏟아 질문했다. 둘은 같은 나이

였으며 잘 맞았다. 그렇게 시간이 가는 줄도 모르게
놀았다. 빨간 노을이 산 아래로 떨어지며 뉘엿뉘엿
해가 저물어 가자, 둘은 같이 집에 들어갔다. 그 후로
도 둘은 자주 붙어 놀았다. 바로 옆집이라 둘이 같이
노는 시간이 많을 수밖에 없었다. 둘은 서로의 집에
서 놀기도 하고 놀이터에서 놀기도 하며 추억을 쌓아
갔다. 그러다 가끔은 은호네 집에서 부모님이 싸우면
연우네 집에서 자고 가기도 했다.

　연우와 은호가 만난 지 5년이 되었을 때 은호의 일
상이 무너졌다. 원체 가부장적이고 폭력적인 아버지
에 더 이상 못 견딘 어머니가 집을 나갔다. 은호네
엄마가 집을 나간 날은 평소와 다름이 없는 날이었
다. 평소와 다름없이 은호가 밖에서 놀다 집에 들어
갔다. 평소와 달랐던 이유는 은호가 집에 돌아왔을
때 항상 반갑게 맞이해 주던 엄마의 목소리가 들리지
않을 뿐이었다.

　"다녀왔습니다. 엄마? 엄마 집에 없어?"

　엄마를 불러 보았지만, 대답은 돌아오지 않았다. 은
호는 엄마가 잠시 밖에 나갔나 생각했다. 하지만 그
날 이후로 엄마가 집에 들어오는 일은 없었다. 은호
의 엄마가 집을 나간 날부터 아빠는 은호에 대한 집
착이 심해졌다. 하루도 빼놓지 않고 술을 마셔댔다.
술에 취하면 은호에게 엄마처럼 집을 나갈 거냐며 소
리 지르고 폭력을 행사했다. 한참 은호를 때리고 나

선 소파에 누워 곯아떨어졌다. 아빠가 소파에 누워 곯아떨어지면 옆집인 연우네 집으로 가 잠을 잤다. 은호가 폭력에 무서워 잠에 못 드는 날엔 연우가 따뜻하게 위로해 주었다. 더 이상 가족에게 사랑을 받을 수 없음에 슬퍼하는 은호에게 위로가 돼주는 건 연우뿐이었다. 둘은 전보다 더 많은 시간을 공유했다. 이제는 서로에게 모르는 게 없는 사이가 되었다.

***

어느덧 시간은 흘러 밖에는 싱그러운 봄 내음이 나고 따사로운 온기가 몸을 감싸는 계절이 되었다. 이제 고등학교 생활도 두 번째인 새 학년이 되었다. 한창 꽃이 필 나이인 은호였다. 은호는 갖가지 고운 꽃들과는 다르게 색을 잃어갔다. 무채색인 은호의 삶엔 연우와 함께일 때만 나이에 맞는 색채로 반짝였다. 따스한 봄의 날씨와는 다르게 은호네 집은 언제 터질지 모르는 활화산이었다. 은호 아버지가 직장에서 잘리게 되자 횡포가 더욱더 심해졌기에 은호는 하루하루를 두려움에 떨며 보냈다. 걸핏하면 맞아 몸에서 멍이 사라질 날이 없었다. 그러다 어느 날은 보다 못한 연우가 은호에게 신고하자고 설득했다.

"지은호 신고하자. 이건 너무 심하잖아"

"안돼. 신고하지 마."

완강한 거부였다. 연우는 그 말이 이해가 안 됐다.

"신고하지 말라니 그게 무슨 소리야."

"해봤자야. 예전에 해봤어. 신고했는데 조처를 해주지도 않고 그냥 가서 더 맞기만 했어."

"그래도 그때랑 지금은 정도가 다르잖아. 신고하면 바로 격리 조치 취할 거야."

"신고하지 말아줘. 부탁할게."

"…. 알았어…."

떨떠름한 약속이긴 했지만, 은호는 연우를 믿기로 했다. 하지만 연우는 지킬 마음이 없었다. 헤어지고 나서 집에 도착한 연우는 은호 몰래 신고했다. 늦은 저녁 신고를 받은 경찰이 은호의 집으로 출동했다. 아버지는 경찰이 돌아가자, 은호에게 분풀이로 물건을 닥치는 대로 집어 던졌다. 던진 소주병에 맞아 은호의 이마가 찢어졌다.

다음 날 아침 집을 나가 엘리베이터를 기다리는 연우를 본 은호는 왜 신고했냐며 화를 냈다.

"야 이연우!! 신고하지 말랬잖아!!! 왜 하냐고!!"

은호의 이마에 붙여져 있는 밴드를 본 연우는 자신이 정말 괜한 짓을 한 것 같아 멈칫했다. 은호가 연우에게 화를 낸 건 처음이었기 때문에 당황했다. 하지만 도움을 줬는데 아침에 다짜고짜 소리를 지르니 연우도 화가 났다.

"아니 그러면 가만히 보고만 있으라고? 말이 되는

소리를 해.”

“그러니까. 그냥 가만히 있으라고. 네 일도 아닌데 신경 쓰지 말라고”

“야. 너 말을 왜 그렇게 하냐?”

“그럼 뭐라고 말해야 하는데. 네가 잘 못한 거 맞잖아.”

서로에게 상처가 되는 말을 내뱉었다.

‘띵’

때마침 온 엘리베이터에 은호는 도리어 화를 내는 연우를 두고 엘리베이터로 들어갔다. 둘이 이렇게까지 싸운 적은 처음이었다. 연우는 은호 말고도 놀 친구가 많았기 때문에 싸운다면 신경이 쓰일 뿐 학교생활에 지장이 가진 않았다. 하지만 은호는 달랐다. 아버지의 폭력으로 인해 학교에 드문드문 나갔다. 나가는 날도 연우와만 놀았었기 때문에 고등학교 친구가 없었다. 이미 친해질 대로 친해진 친구들 사이에 들어가기란 내성적이었던 은호에겐 크나큰 어려움이었다. 연우와 은호의 냉전이 지속 될 수록 은호가 웃는 날을 찾아볼 수 없었다. 소소한 싸움의 사과도 연우가 먼저 했던 터라 이렇게 큰 싸움의 사과를 은호가 하기엔 어려운 일이었다. 더군다나 마주칠 때마다 자신을 투명 인간 취급하며 친구들과 놀고 있는 연우에게 말을 걸기란 쉽지 않았다. 은호에겐 지옥 같은 나날의 연속이었다.

그날의 은호는 모든 걸 다 끝내버리고 싶은 심정이었다. 항상 주말엔 아버지를 피해 연우와 놀았지만 화해도 하지 못한 상태라 같이 놀 수 없었다. 은호는 연우와 싸우고 집에서 아빠와 지내며 연우에게 화가 풀렸다. 은호가 화를 내야 할 사람은 연우가 아닌 자신의 아빠였음이 분명하니 말이다. 은호는 연우와도 싸웠고 자신이 누구에게 화를 내야 하는지 분명해지자 없던 용기가 생겼다. 항상 연우가 옆에서 북돋아 주어도 생기지 않던 용기가 생긴 순간이었다. 지금이 아니면 언제 생길지 모르는 반항심에 은호는 아버지의 폭력에 대항했다. 그의 아버지는 은호의 첫 반항에 더욱 화를 냈다. 은호가 아무리 컸어도 성인 남성의 힘을 이길 수는 없었다. 결국 몇 번의 반항도 허용되지 않았다. 아버지는 은호를 지쳐 쓰러질 때까지 때렸다.

그 이후 은호는 자신의 처지에 완전히 굴복했다. 바뀌지 않았고 바뀔 수 없었다. 어차피 해도 안 될 거 괜한 짓으로 자신의 상황에 무력감만 더욱 느낄 뿐이었다.

다시 평일이 돌아왔다. 학교생활을 좋아하는 은호였지만 등교가 마냥 기쁘지만은 않았다. 학교에 들어서도 연우는 은호를 본체만체 무시를 했고 은호는 여전히 혼자 다녔다.

　은호는 학교가 끝난 후 집으로 가는 길에 자신의 미래에 대해 생각해 보았다. 하지만 미래가 그려지지 않았다. 언제까지 일지 모르는 아버지의 폭력에 지쳐 있었고 버팀목이었던 친구와 처음으로 싸웠다. 말 그대로 끝도 없는 절망과 공포에 휩싸여 있었다. 두려웠다. 절망적인 생각에 빠져 걸어오던 은호는 아파트에 도착했다. 평소와 같이 엘리베이터에 타 7층을 누르지 않았다. 그저 무덤덤한 표정으로 비상계단을 향했다. 계단을 오르고 올랐다. 5층……. 6층……. 7층……. 집을 지나쳐 계속 발을 내디뎠다. 목적지는 7층이 아니었다. 원체 체력이 좋지 못했던 은호였다. 다리가 뻐근해져 오고 숨이 차올랐다. 그럼에도 조금의 쉼은 없었다. 올라갈수록 이상하게 마음이 가벼워졌다.

　"후……."

　마지막 계단을 오른 후 차올랐던 숨을 내쉬었다. 옥상으로 나가기 전 마지막으로 자신을 잡아달라는 신호로 연우에게 전화를 걸었다. 차갑기만 한 신호음만이 비상계단에 울려 퍼졌다. 몇 번의 신호음의 끝엔 은호가 기다리는 목소리가 아닌 기계 같은 음성 사서함 서비스만을 연결해 줄 뿐이었다. 마지막으로 뻗은 구조 요청의 손길이 싸늘한 응답으로 내쳐졌다. 은호는 몸에 힘이 빠졌다. 전화음이 가는 동안 긴장에 느끼지 못했던 힘듦이 한순간에 몰려왔다. 더 이상 망설이지 않았다. 겨울이라 시린 손으로 차가운 손잡이를 돌려 옥상 문을 열었다.

'철컥'

오랫동안 열지 않은 문인지 어딘가에 걸렸다. 힘을 줘 손잡이를 돌렸다.

문을 열자, 밖에서 불어오는 얼 듯한 겨울바람이 한꺼번에 은호를 덮쳤다. 바람은 차갑다 못해 아렸다. 날카로운 바람이 몸을 지나며 얼굴을 스쳐 갈 때면 은호의 두 뺨에 칼날을 스치듯 마구 할퀴어댔다. 얼어붙은 공기는 폐에 들어가 숨을 막히게 했고 소름 끼치는 추위를 선물했다. 옥상 끝으로 가는 한 발 한 발에 아무것도 하지 못했던 지난날을 뒤로하고 시린 겨울바람을 가르며 나아갔다. 옥상 끝에 다다라 바라보는 풍경은 억울하게 예뻤다. 오늘 삶을 끝내려는 은호를 보란 듯이 비웃는 듯했다. 애석하게도 세상은 여전히 밝게 빛나고 아름다웠다.

"시발…. 더럽게 예쁘네"

자신에겐 그렇게 더러운 모습만 보여주던 곳이었다. 마지막에서야 자신의 외향을 뽐내는 도시가, 세상이 밉기만 했다. 은호에겐 저 불빛들이 자신만 빼고 다들 각자의 쓸모를 증명하는 기분이었다. 더 이상이 아름답고 차가운 세상이 보기가 싫었다.

"이제 다 상관없어"

편안하게 눈을 감고 조금의 고민도 없이 허공으로 발을 내디뎠다. 떨어지는 순간은 은호의 생각보단 길었다. 사람이 죽을 때 주마등이 스쳐 지나간다는 말을 이해했다. 은호는 떨어지며 마지막으로 행복했던 추억들을 돌아봤다. 부모님이 헤어지기 전 함께 외식했던 순간, 연우와 함께 처음 영화를 보러 간 날, 학교 미술 대회에서 상을 받았던 순간 등 그 잠깐 사이에 여러 행복했던 기억들이 은호의 머릿속을 스쳐 지나갔다. 은호는 그래도 죽기 전이라 행복한 기억이 생각나니 다행이라고 생각했다.

*
*
*

연우가 눈을 떠보니 병실의 침대 위였다.

"뭐야…. 나 왜 누워있어"

아무것도 기억나지 않는 연우였다. 팔에는 수액을 맞고 있었다. 넓지 않은 병실엔 수액이 한 방울씩 떨어지는 소리와 창문 밖의 새소리만이 병실을 가득 메웠다. 고개를 돌려 창밖을 바라보니 새벽녘인 듯 산 뒤쪽으로 서서히 해가 떠오르고 있었다. 초록색의 나뭇잎들에 생긴 밤 동안 맑은 이슬들은 떠오르는 햇빛을 받아 반짝이며 빛이 났다. 공기가 좋은 산골인 듯싶었다. 노래를 부르는듯한 새소리가 창문을 통해 귓가에 들렸다. 한동안 깊은 잠을 잔 듯 몸이 찌뿌둥했다. 나지 않는 기억 속에서 무엇이든 꺼내보려 했지만 소용없었다. 머릿속은 온통 한 번도 사용되지 않아 깨끗한 상태의 하얀 색 백지뿐이었다.

도무지 떠오르지 않는 기억을 붙들고 있는 것도 한참이 지난 듯 벌써 해가는 하늘에 걸려있었으며, 햇살은 연우의 병실 창문을 통해 빛을 내주고 있었다. 침대에 기대어있는 연우의 방으로 누군가 문을 살며시 열고 들어왔다. 연우는 처음 보는 여자였다. 그 여자는 연우를 알기라도 하는 듯 깨어난 연우를 보고 놀랐다. 감격스러운 표정을 지으며 걸음 한 걸음 천천히 다가갔다.

여자를 보는 연우는 당황스러웠다. 눈이 동그랗게 커진 채로 여자의 움직임을 응시했다. 연우에게 다다른 여자는 기쁨의 눈물을 흘리며 말을 꺼냈다.

"연우야… 연우야 정신이 들어? 엄마 알아보겠어?"

예상한 말이었다. 그럼에도 당혹스러웠다. 연우는 모든 상황이 낯설었다. 처음 보는 여자는 자신의 엄마라고 하는데 기억나는 건 아무것도 없고, 그저 깊은 잠에 지다 일어났는데 몸이 훅 자라난 기분이었다. 무언인가 빠진 것 같았다.

"네…? 죄송해요. 아무것도 기억이 안 나요"

　기억이 안 난다는 연우의 말에 연우의 엄마는 기억하지 않아 다행이라는 생각과 속상함이 대조되어 나타났다. 하지만 이내 안도감이 속상함을 지웠다. 미소를 띠며 대답했다.

　"아니야. 괜찮아. 아무것도 기억하지 않아도 돼. 같이 새로 만들어 나가면 돼."

　연우 엄마는 추억은 다시 만들어 나가면 되는 그것으로 생각했다. 연우 본인도 일찍 알기보다 천천히 시간을 가지고 기억을 되찾고 싶었기에 굳이 물어보지 않았다. 한동안은 그렇게 병원 생활을 하며 지냈다. 연우가 병원을 퇴원했을 땐 이미 계절이 한 번 더 지나가 있었다. 병실 창문 밖을 뜨겁게 달구던 태양의 기세가 한풀 꺾이고 선선한 가을바람이 불어오고 있었다. 연우는 가을의 냄새를 담아 자신을 향해 천천히 불어오는 살짝은 쌀쌀한 바람을 맞았다. 병원 밖으로 나서 아무런 기억도 추억도 없는 세상 속으로 걸어 나갔다.

　집에서 생활하게 된 연우는 집을 둘러봤다. 집에 와서는 무엇인가 기억이 나지 않을까 하던 연우의 기대가 꺾이는 데는 오랜 시간이 걸리지 않았다. 다 어디 가버린 것인지 추억을 떠올릴 수 있을 만한 물건을 하나도 찾을 수 없었다. 친구들과 찍은 사진은 당연하고 그 흔하다던 애착 인형이라던가 학교 졸업앨

범들도 전혀 찾아볼 수 없었다.

휴대폰을 통해 찾아보려고도 했지만, 아무것도 없이 텅 비어 있을 뿐이었다. 자신의 과거와 전혀 접점이 없었다.

"뭐야……. 과거의 내가 어디에도 없으면 어떡해…."

마치 자신의 과거를 깨끗이 지워버리기라도 한 듯 흔적조차 찾아볼 수 없었다. 집에서는 기억을 찾을 수 있을 거란 생각에 기분이 들떠 있던 연우는 다시 막막해졌다. 정말 과거를 잊어버리고 지금부터 새 삶을 살아가야 한다는 생각에 슬퍼졌다. 남들 다 있는 학창 시절 기억과 친구들이 없다는 사실이 연우를 더욱 우울하게 만들었다. 하지만 병원에서도 안 찾아온 걸 보면 과거의 자신은 정말 친구가 한 명도 없었나 싶기도 했다.

슬픔에 빠져있는 것도 며칠 가지 않았다. 어차피 있었어도 없는 친구니 그저 묻어두다 언젠가 기억날 때 다시 떠올리기로 했다. 연우는 그렇게 하루하루를 살아갔다. 그러다가 어느 날엔 아파트 놀이터를 보고 그저 슬퍼지기도 하고 어떤 날엔 그저 아무런 걱정도 슬픔도 없이 하루를 보내기도 하였다.

기억을 잃어버린 채로 사는 것이 일상이 되어 익숙해졌을 무렵이 되었다. 연우도 기억을 잃기 전의 활발함을 되찾았다. 그즈음 연우에겐 밤 산책이라는 취미가 생겼다. 그날도 그저 그런 평범한 하루를 보내고 밤 산책을 하러 집을 나서기로 했다.

"엄마 나 산책 다녀올게"

"응~ 조심해서 다녀와. 아직 추우니까 목도리도 두르고 나가고."

"응 알았어."

가벼운 인사를 나누곤 문을 열어 밖으로 나갔다.

평소 가는 길로 갈까 하였다. 몇 번 가던 길은 어느새 눈 감고도 갈 수 있게 길이 되어있었다. 새로움을 주고자 처음 가보는 길로 발걸음을 옮겼다. 오늘은 어쩐지 작은 기억의 실마리라도 생각이 날 것 같은 날이었다. 아직 2월이라 눈송이가 하늘에서 나풀거리며 내려오고 있었다. 패딩을 챙겨 입고 나오기 전 엄마의 말을 듣고 목도리를 두르고 나왔던 덕에 잠시 걷자 금방 몸에 열이 올랐다. 연우는 2월의 서늘한 공기를 받아 얼굴은 차가워 빨개졌지만, 몸은 따뜻한 상태가 맘에 들었다. 입을 열면 나오는 새하얀 입김과 눈 쌓인 골목에서 내려오는 눈을 구경하는 것도 만족스러웠다. 잠시 걷던 발을 멈추고 노란 가로등의 밝은 불빛 아래 눈송이가 내려오는 걸 구경하고 있었다.

"와…. 진짜 예쁘다…."

소소한 행복을 즐길 줄 아는 연우에게는 한 폭의 그림처럼 예뻐 보이는 풍경이었다.

시간이 얼마쯤 흘렀을까 계속 멈춰있던 탓에 몸이 추워지려 하자 다시 걸음을 옮겼다. 좁은 골목을 벗어나 큰길에 다다랐을 무렵 연우의 옆쪽에서 시끄러운 자동차 클랙슨 소리가 울려 퍼졌다. 순식간에 일어난 사고였다. 연우가 미처 피할 새도 없이 둘은 몸을 부딪쳤다. 얼음이 얼어 있어 미끄러운 길에서 과속하는 차와 그대로 부딪혀 저 멀리 날아가다 쿵 하는 소리와 함께 바닥에 내리쳐졌다. 조용히 내리는 눈 소리 덕에 연우의 소리는 더욱 크게 들렸다. 소리가 들린 이내 검붉은 색이 하얀 눈을 점점 빨간색으로 물들였다. 검붉은색은 따뜻했고 땅에 소복이 쌓인 눈은 차가웠다. 시간이 지나며 차가움에 따뜻함이 사라져 갔다. 사람도 소리도 없는 적막한 새벽 2시 02분이었다.

***

칸스텔은 어둠이 짙게 깔려있었다. 빛이라곤 숙소에서 나오는 빛밖에 없었다. 거의 모두가 잠들고 있어서 숙소에서 나오는 빛도 밝지 않았다. 이 어둠 속에서 D-982는 전과 같은 아니, 좀 특별한 하루를 끝내지 못하고 있었다. 혼자 깜깜한 휴게실에서 새로 들어온 아스트들에게 주어지는 절차 소개서를 읽고 있었다. 연차가 좀 지난 아스트들이 이걸 읽는 경우는 거의 없다. 마지막이어서 그런지 끝은 별 탈 없이 끝내고 싶은 마음에 실수할까 두려워 다시 읽고 있었다.

D-982는 한 명의인 테인 만 담당하면 약 2년 만에 환생할 수 있게 된다. 온종일 동료들의 축하를 받으며 지냈다. D-982가 어딜 지나갈 때마다 축하 소리가 들려왔다. D-982는 이 상황이 즐거웠다. 그렇게 기다렸던 환생이 곧 이라고 하니 즐겁지 않을 수가 없었다.

하지만 1시간이 흐르고 하루의 밤이 흘러도 D-982가 담당할 인테인은 오지 않았다. 거의 다음 날로 넘어갈 시간이 되어가는 데 인테인이 오지 않자 초조해졌다. 내 절차를 까먹어서 일어난 일이라고 생각했기 때문이다. 슬슬 D-982의 눈도 감기기 시작했다. 더 기다리기에는 지쳐서 오늘은 포기하려고 할 때였다. 저 멀리 D-982의 칸스텔문에서 새로운 얼굴이 보였다.

패드에 알림이 왔다. D-982는 알림이 온 패드를 확인했다.

이름 이연우
나이 20세
사망원인 교통사고
비고 최근 기억이 없음. 기억을 본 뒤 선택 바람

.
.
.

D-982가 맡는다.

  D-982는 칸스텔에 온 뒤 제일 행복한 상태였다. 얼굴에 새어 나오는 기쁨을 감추지 못했다. D-982는 마지막 손님이 이 행복한 기분을 망치지 않는 인테인이길 바랐다. 대부분의 인테인은 좋은 인테인 이었지만, 가끔 말투나 행동이 기분 나쁜 인테인들이 있었다. D-982는 간절히 바라며 마지막 아스트의 역할을 하러 인테인에게 갔다. 인테인은 쭈뼛거리며 있었다. 인테인의 얼굴을 보는데 어딘가 이유 모를 익숙함이 들었다. 마치 어디선가 본 사람인 것 같은 그런 기분. 그런 기분이 드는 건 인테인도 마찬가지였다. 인테인은 D-982가 흔한 얼굴이겠거니 생각했다. D-982는 아스트를 하면서 비슷하게 생긴 인테인들은 많이 보았기 때문에 대수롭지 않게 넘겼다.
  '아는 사람일 리 없지. 쓸데없는 생각 하지 말고 일에 집중하자. 빨리 칸스텔에서 나가 환생을 하고 싶어!'
  D-982는 인테인에게 다가갔다.
  "어서 오세요. 칸스텔입니다!"

인테인이 당황할 정도로 활기차게 환영 인사를 건넸다. 아까 전까지 꾸벅꾸벅 졸던 D-982가 아닌 것 같았다. 옆에서 들으면 고막이 뚫리는 듯했고, 목청이 너무나도 커서 칸스텔에 울려 퍼졌다.

칸스텔은 어둠이 짙게 깔려있었다. 빛이라곤 숙소에서 나오는 빛밖에 없었다. 거의 모두가 잠들고 있어서 숙소에서 나오는 빛도 밝지 않았다. 이 어둠 속에서 D-982는 전과 같은 아니, 좀 특별한 하루를 끝내지 못하고 있었다. 혼자 깜깜한 휴게실에서 새로 들어온 아스트들에게 주어지는 절차 소개서를 읽고 있었다. 연차가 좀 지난 아스트들이 이걸 읽는 경우는 거의 없다. 마지막이어서 그런지 끝은 별 탈 없이 끝내고 싶은 마음에 실수할까 두려워 다시 읽고 있었다.

D-982는 한 명의인 테인 만 담당하면 약 2년 만에 환생할 수 있게 된다. 온종일 동료들의 축하를 받으며 지냈다. D-982가 어딜 지나갈 때마다 축하 소리가 들려왔다. D-982는 이 상황이 즐거웠다. 그렇게 기다렸던 환생이 곧 이라고 하니 즐겁지 않을 수가 없었다.

하지만 1시간이 흐르고 하루의 밤이 흘러도 D-982가 담당할 인테인은 오지 않았다. 거의 다음 날로 넘어갈 시간이 되어가는 데 인테인이 오지 않자 초조해졌다. 내 절차를 까먹어서 일어난 일이라고 생각했기 때문이다. 슬슬 D-982의 눈도 감기기 시작했다. 더 기다리기에는 지쳐서 오늘은 포기하려고 할 때였다. 저 멀리 D-982의 칸스텔문에서 새로운 얼굴이 보였다.

패드에 알림이 왔다. D-982는 알림이 온 패드를 확인했다.

이름 이연우
나이 20세
사망원인 교통사고
비고 최근 기억이 없음. 기억을 본 뒤 선택 바람

.

.

.

D-982가 맡는다.

D-982는 칸스텔에 온 뒤 제일 행복한 상태였다. 얼굴에 새어 나오는 기쁨을 감추지 못했다. D-982는 마지막 손님이 이 행복한 기분을 망치지 않는 인테인이길 바랐다. 대부분의 인테인은 좋은 인테인 이었지만, 가끔 말투나 행동이 기분 나쁜 인테인들이 있었다. D-982는 간절히 바라며 마지막 아스트의 역할을 하러 인테인에게 갔다. 인테인은 쭈뼛거리며 있었다. 인테인의 얼굴을 보는데 어딘가 이유 모를 익숙함이

들었다. 마치 어디선가 본 사람인 것 같은 그런 기분. 그런 기분이 드는 건 인테인도 마찬가지였다. 인테인은 D-982가 흔한 얼굴이겠거니 생각했다. D-982는 아스트를 하면서 비슷하게 생긴 인테인들은 많이 보았기 때문에 대수롭지 않게 넘겼다.

'아는 사람일 리 없지. 쓸데없는 생각 하지 말고 일에 집중하자. 빨리 칸스텔에서 나가 환생을 하고 싶어!'

D-982는 인테인에게 다가갔다.

"어서 오세요. 칸스텔입니다!"

인테인이 당황할 정도로 활기차게 환영 인사를 건넸다. 아까 전까지 꾸벅꾸벅 졸던 D-982가 아닌 것 같았다. 옆에서 들으면 고막이 뚫리는 듯했고, 목청이 너무나도 커서 칸스텔에 울려 퍼졌다.

"여긴 이승에서 삶이 끝난 분들의 다음을 담당하는 곳입니다. 저는 당신을 담당하는 D-982입니다. 그냥 아스트라고 부르시면 됩니다."

지루할 정도로 많이 했던 말이었다. 이 말을 10번 반복했을 때쯤은 D-982는 지겨워했다. 하지만 D-982는 하면 할수록 환생이 다가온다는 생각에 점점 이 말을 즐기게 되었다. 마지막이라고 생각하니까 목소리가 하늘에 떠다니는 것 같았다.

"원래 절차는 별이 되기와 환생하는 것 중 고르는 것이지만 기억 상실이 있었으니, 기억을 먼저 보고 결정하시죠."

 기억 상실이 걸린 인테인은 많이 없었다. D-982는 마지막 인테인이 특이한 사례여서 좋았다. 매번 똑같은 절차로 똑같이 진행되는 칸스텔이 지루했기 때문이다. 여러모로 완벽한 마지막이 될 거라고 D-982는 생각했다.

 행복한 기분으로 D-982는 인테인을 데리고 기억을 보러 갔다. 기억을 보는 장소로 이동하면서 둘은 대화를 나눴다. 인테인은 기억을 잃기 전 어떤 일이 있었는지 아예 모른다고 했다. D-982는 기억 잃기 전 인테인의 기억이 좋은 기억이 아닐 거로 생각했다. 그래서 기억을 보면 충격을 받을 수도 있다고 미리 알렸다. 인테인은 과거를 항상 궁금해 왔기 때문에 충격을 받더라도 꼭 봐야겠다고 생각했다. 인테인은 상처를 받을까 살짝 걱정되었다.

"여기예요. 이제 기억 3개를 볼 건데 그만 보고 싶으시면 말씀해 주시면 됩니다. 편하게 말해주세요. 저도 옆에서 같이 시청할 겁니다."

 그리고 기억이 재생되었다.

*

*

*

첫 번째 기억

어둠 속에서 예쁜 함박눈이 내리던 날 밤이다. 눈은 얼마 없는 빛에 반사되어 반짝였다. 별 가루가 흩뿌려지는 것 같은 풍경이었다. 모두 잠들어 한적한 골목길에는 눈이 쌓여 있었고 어떤 발자국도 남아 있지 않았다. 담벼락엔 고양이의 발자국이 있었다. 그리고 골목 벽에는 초등학생들의 장난기 가득한 낙서가 쓰여 있었다. 혼자 조용하게 걷고 싶을 때 걸으면 좋을 것 같은 길이었다.

그 골목길에 있는 두 집의 어떤 어린 여자아이 두 명의 문자를 나누고 있는 모습이 보였다. 둘 다 가족 몰래 문자를 보내는 모양이다. 그중 한 아이의 키보드를 치는 손이 떨리고 있었다. 어딘가 불안하고 초조해 보였다. 그런 아이에게 문자가 왔다.

'지금 밖으로 나올 수 있어? 편의점 호빵 먹으러 가자. 못 나올 것 같으면 어쩔 수 없고….'

그 문자를 받은 아이는 기다렸다는 급하게 준비를 시작했다. 조용히 얇은 외투 하나를 걸쳤다. 현관문에선 아이는 발 크기에 맞지 않아 헐렁거리는 슬리퍼를 맨발로 신고 허겁지겁 나갔다. 이 옷차림으로 밖으로 나가면 금방이라도 동상에 걸릴 것처럼 보였다. 밖으로 나가자, 누군가의 소리가 들렸다. 인테인, 즉 연우가 친구로 보이는 아이를 부른 것이었다.

"여기야 여기! 지은호"

두 아이는 어둑어둑한 골목길을 비추는 노란 빛의 가로등 밑에서 만났다. 사람 한 명 안 돌아다니는 깜깜한 세상을 가로등이 비추고 있었다.

연우는 두꺼운 패딩을 입고 비싸진 않아도 신을 만한 신발을 신고 있었다. 적어도 몸이 얼어붙지는 않을 옷들이었다. 둘이 나란히 서 있으니, 비교되었다. 한 명은 얇게라도 털을 가지고 있는 강아지, 한 명은 털을 아예 밀어 버린 강아지처럼 보였다.

연우를 확인한 은호는 아까 집에서 떨던 아이와 다른 얼굴이었다. 두려움에 떨었던 얼굴은 어디 가고 세상 행복한 얼굴이 보였다. 마치 햇살 같은 얼굴이었다.

"연우야! 빨리 가자. 빨리빨리. 너 무슨 맛 먹을 거야? 근데 갑자기 웬 호빵이야?"

"그냥. 추운 날엔 따끈따끈한 호빵이 최고잖아. 핫팩 너 쓰라고 몰래 가지고 나왔어. 여기."

은호는 누가 들으면 안 되는 것처럼 소곤소곤 말했다. 연우는 은호가 왜 그러는지 이해하는 듯했다. 연우는 은호와 같이 소곤소곤 말했다. 남이 그 둘이 이야기하는 걸 보면 수상하다고 생각할 정도였다. 그리고 서로의 손을 꼭 잡고 편의점으로 향했다. 까만 하늘에 하얀 입김이 떠올랐다.

둘은 코가 빨개져 편의점에 도착했다. 24시간 동안

하는 편의점은 환하게 불이 켜져 있었다. 새벽의 고요함을 깨는 문을 여는 소리가 편의점 안에서 퍼져 울렸다.

"아이고. 이 추운 날 그렇게 입고 다니지 말라니까. 얼굴 빨개진 거 봐 봐. 감기 들라. 빨리 집에 들어가서 따뜻하게 있어."

추위에 떨면서 편의점으로 들어오는 연우와 은호를 보자마자 편의점 아주머니가 친근하게 말을 걸었다. 걱정 어린 아주머니의 말에 웃음으로 답했다. 편의점 안은 얼어붙은 몸이 바로 녹아버릴 정도로 따뜻했다.

연우와 은호는 편의점을 자주 들르는 듯 보였다. 둘은 얼른 편의점 구석에 있는 찜기에서 호빵을 골라 꺼냈다. 따끈한 호빵에선 김이 나왔다. 그리고 연우의 패딩 주머니에서 꾸깃꾸깃한 지폐를 꺼내 아주머니에게 건네고 편의점에서 나왔다. 다시 문을 여는 소리가 편의점 밖까지 퍼져 울렸다.

아까 집에서 떨고 있던 아이와 아예 다른 아이처럼 은호는 연우와 즐겁게 걸어갔다. 여느 또래 아이들과 다른 거 없는 모습이었다.

둘은 호빵을 한 손에 들고 골목길을 지나서 집 근처 학교 운동장에 갔다. 두 사람은 삐걱거리는 그네에 앉아 또 이야기했다. 같이 따뜻한 호빵을 먹으니 추운 것도 잊어버린 것 같다. 학교에서 재미있었던 일, 길 가다 귀여운 고양이를 봤다던 지 사소한 이야기를 나눴다.

"너 그거 봤어? 진짜 재밌어."

"나 아직 안 봤는데 같이 보자!"

별거 아닌 이야기에 은호와 연우는 재밌게 웃으며 밤을 새웠다. 다음 날 아침이 오는 줄도 모르게 한참 동안 운동장에서 시간을 지새우다 조용히 각자의 집으로 돌아갔다. 동네 뒷산 뒤쪽에서 햇살이 보였고 따스한 햇볕을 받은 눈은 녹아내리고 있었다. 녹지 않은 눈들은 햇살에 반짝이고 있었다.

***

D-982는 너무 당황스러웠다. 기억 속에서 은호라는 아이가 자신의 기억을 보던 초반에는 그냥 자신과 닮은 아이라고 생각했다. 하지만 보면 볼수록 은호의 말투와 행동이 자신과 닮은 게 아니었다. 완전히 아예 똑같은 사람이었다. 쌍둥이라고 생각해 보았지만, 말이 안 될 정도로 똑같았다. 평소에 궁금했던 과거이었지만 이렇게 갑작스럽게 보게 되자 D-982는 혼란스러웠다.

혼란스러웠던 건 연우도 마찬가지였다. 옆에 있는 D-982, 즉 은호를 흘깃흘깃 쳐다보았다. 연우가 생각해도 같은 사람이었다.

연우와 은호는 자신의 과거를 알고 싶어 했다. 둘

다 과거를 알게 되어 기분이 좋긴 했다. 행복한 기억이기 때문이었다. 하지만 옆에 있는 처음 보는 사람이 자신의 제일 친구였다는 게 믿기지 않았다. 친구를 죽어서 마주칠 확률이 얼마나 낮을까.

둘은 몇 번 서로를 번갈아 보았다. 1분 동안 숨소리도 안 들리는 정적이 흘렀다. 마치 머리채 쥐고 싸웠던 사람들이 어쩔 수 없이 마주친 상황 같았다. 둘다 혼잡스러운 머리를 정리하려고 했다. 하지만 이 상황이 받아들여지지 않았다. 그리고 조금 뒤 조용함을 은호가 깼다.

"그다음 기억 볼까…. 요?"

어색한 목소리가 아무 소리 없던 공간에 울렸다. 그 목소리는 어색했던 정적을 더 어색하게 만들었다. 전까지 은호는 칸스텔이 한적해서 좋았지만, 지금은 이 조용함이 싫었다. 정적을 깨기 위해서 은호는 빨리 다음 기억을 봤다. 두 번째 기억이 재생되는 소리가 고요한 정적을 깼다.

*

*

*

두 번째 기억

이번엔 연우의 집이었다. 연우의 부모님과 연우, 은호가 보였다. 푹신해 보이는 식탁 의자에 다 같이 앉아있었다. 다 같이 앉아있는 모습이 마치 오랜 시간 함께 하던 가족 같았다. 식탁에는 방금 막 지어서 보슬보슬한 밥과 따뜻하다 못해 뜨거운 국과 정갈하게 놓인 반찬이 보였다. 보기만 해도 온몸이 따뜻해지는 것 같은 밥상이었다.

　밖은 벚꽃 눈이 흩날리는 아주 예쁜 봄날이었지만 은호는 밥상 앞에서 울고 있었다. 차가운 겨울이 지나고 웅크리고 있던 꽃이 다시 필 봄이었다. 하지만 은호는 아직도 겨울을 보내지 못하고 차가움에서 살고 있는 듯 보였다. 은호의 몸은 차가움에 떨리고 있었고 첫 번째 기억 때의 은호와 같이 초조하고 불안해 보였다. 그런 은호를 연우와 연우의 부모님은 달래주고 있었다. 은호를 위한 위로의 말들이 들린다.

　"너는 우리 딸이나 마찬가지야. 우리를 부모님이라고 생각해. 언제나 우리 집에 와. 부담 갖지 말고."

　은호는 연우 부모님의 말씀에 진정이 되었다. 그리고 연우와 연우의 부모님에게 고맙다고 감사하다고 말했다. 이제야 두려움에 떨리던 몸이 차분하게 멈췄다. 차갑던 은호의 몸이 조금 따뜻해진 것 같다.

　편의점 아주머니는 또 살갑게 마주해줬다. 이번 답은 '감사합니다'라고 돌아왔다. 그리곤 둘은 과자 코너로 가서 편의점에 있는 과자를 한 개씩 집어 담았다. 과자만 몽땅 골랐다. 장바구니 두 개에 가득 담았다. 그리고 계산대로 가서 연우는 지갑에서 빳빳한 새 지폐를 건넸다.

은호의 눈물을 닦고 다 같이 수저를 들고 밥을 먹기 시작했다. 은호는 이밥이 그 어느 식당의 음식들보다 훨씬 맛있다고 생각했다. 연우의 부모님이 음식을 잘하는 것도 아니었고 조미료가 들어가지도 않았다. 그냥 따듯한 밥이었다. 한 입 한 입 먹을 때마다 새롭게 맛있었다.

맛있게 먹는 은호를 보고 연우의 어머니는 계란말이를 은호의 밥 위에 얹어주었다.

"엄청 많이 해놨으니까 많이 먹어. 부족하면 연우 밥 뺏어 먹어도 되고"

은호는 첫 번째 기억에서 연우가 은호를 밖으로 불러냈을 때의 표정을 하고 있었다. 진심으로 행복해하는 은호를 보는 연우는 뿌듯해했다.

이런저런 이야기가 오가는 모두가 행복한 식탁이었다. 도란도란 밥을 먹고 은호는 감사한 뜻으로 뒷정리를 다 했다. 연우의 부모님도 은호가 뒷정리라도 해야 은호의 마음이 편할 것 같아서 그냥 하도록 했다. 은호는 뒷정리를 하면서 연우 가족에게 미안한 마음을 조금 덜어낸 것 같아 뿌듯했다. 뒷정리가 끝나고 연우의 어머니가 과일을 준비해 놓았다. 한가득 쌓여 있는 과일을 본 은호는 기분이 좋았다.

은호와 연우는 또 편의점으로 갔다. 이번 은호는 연우에게 옷을 빌려 입었다. 그리고 추운 날씨를 견디지 못할 것 같던 옷은 아직 조금 쌀쌀한 봄 날씨에 맞는 옷이 되었다. 저번 기억에서 봤던 골목길은 모습이 약간 달라졌다. 낮이어서 밝았고, 밝아서 가로등의 빛은 켜지 않았다. 켜져도 가로등의 빛은 햇볕에 가려 보이지 않을 것이다. 골목길에 그려진 아이들의 낙서는 그대로였다. 골목길을 걸어서 도착했다. 편의점의 문을 여는 소리는 다른 소음에 묻혀 들리지 않았다.

 "아이고. 또 왔네. 오늘은 따듯하게 입었네. 예쁘다 예뻐."

 편의점 아주머니가 또 살갑게 맞이해주었다. 그리고 이번의 대답은 감사한다고 돌아왔다.

 둘은 과자를 담은 봉투의 손잡이를 양쪽 나눠 들고 연우의 집으로 갔다.

 집에 도착한 연우와 은호는 연우의 방으로 들어갔다. 연우의 방은 나무로 된 컴퓨터 책상과 바닥에 깔린 이불이 다였다. 그 이불은 엄청 푹신하고 따듯해 보였다. 은호의 눈에는 아주 좋은 방이었다. 빛이 들어오고 먼지 한 톨 없는 방이 좋아 보였다. 연우는 딱히 좋다고 생각한 적 없는 방이었다. 아니, 오히려 맘에 드는 방은 아니었다.

 "네 방 짱 좋다!!"

연우는 자신의 생일 때 부모님이 큰맘 먹고 사주신 컴퓨터를 자랑했다. 은호의 집에선 찾아볼 수도 없는 물건이었다. 그리고 그 컴퓨터로 연우가 은호와 같이 보려고 다운해 놓은 영화를 틀었다. 전에 같이 보자고 약속했던 영화였다.

둘은 섬유유연제 향기가 나는 베개를 꼭 끌어안고 과자를 몽땅 쌓아놓았다. 산처럼 쌓여 있는 과자를 한 개씩 집어 먹었다. 영화 초반엔 집중했던 반짝반짝 눈들이 조금씩 감겼다. 그러고는 1시간이 지나자 사이좋게 잠이 들었다. 아이들이 너무 조용해서 연우의 부모님은 연우의 방문을 조심스럽게 열어보았다. 연우와 은호가 이불도 걷어차면서 잠자고 있는 걸 보고 조용하게 들어가서 이불을 덮어주었다.

다음날 연우와 은호는 아침에 되어서야 눈을 떴다. 아직 잠에서 덜 깬 서로의 얼굴을 보면서 아주 재밌게 웃었다. 방에서 나가니 식탁에는 또 따뜻한 밥이 차려져 있었고, 연우의 부모님이 기다리고 있었다.

***

또다시 둘 사이에 정적이 흘렀다. 그리고 두 사람에게 동시에 갑자기 이유 모를 두통이 오기 시작했다. 아주 심한 고통을 느낀다. 참을 수 없는 고통에 정신을 잃을 것만 같았다. 두 사람은 극심한 고통을 몇십

분 동안 느꼈다. 그때 고통이 조금씩 없어졌다. 고통이 없어지면서 없어졌던 기억들은 조금씩 다시 생겨났다. 모든 기억이 돌아오지는 않았다. 그냥 드문드문 둘이 함께했던 추억들이 떠올랐다. 친하게 지냈던 순간, 웃고 떠들던 날 등이 영화 필름처럼 지나갔다.

동시에 이러한 현상을 느낀 연우와 은호는 울음이 터져 나왔다. 그러고는 서로 부둥켜안았다.

"연우야, 오랜만이야. 어쩌다가 여기에 벌써 왔어. 좀 더 늦게 오지 그랬어."

조금 전까지는 말도 꺼내기 힘들 정도로 어색했던 공기가 침대에 누운 것처럼 편한 공기로 변했다. 막 처음 만나 어색한 사이에서 갑자기 12년 지기 친구 사이가 되었다. 못 보고 살았던 세월은 무색했다.

"진짜 보고 싶었어."

둘은 서로가 없었던 자신의 일상을 나누었다. 또 시간이 가는 줄 모르게 대화가 이어졌다. 하지만 너무 늦어지면 안 되기 때문에 적당히 이야기를 멈췄다. 눈물이 흘렀던 눈은 어느새 웃는 눈이 되어있었다.

"그럼, 마지막 기억을 볼까? 너무 늦으면 안 되니까. 할 말은 이따가 하자."

*

*

*

세 번째 기억

우중충한 날씨가 하늘을 잡아먹을 듯 다가왔다. 냉기 서린 바람이 세찬 소리와 함께 모든 걸 휩쓸고, 형태 없는 모습에 뒤흔들려 손끝을 시리게 만든다.

*

연우에게 그날은 그런 하루였다. 깊은 숨소리가 형태를 불러 자신에게 다가왔다. 당장 어딘가로 도망치고 싶었다. 이대로 있다간 어디 큰 사고라도 날 듯했다.

연우는 그날 이후로 어딘가 망가지기 시작했다. 적정선을 유지하는 줄로만 믿고 살아왔는데, 사실은 그 모든 게 잘못된 행동이었다는 걸 깨달았을 때, 그대는 어떻게 행동할 것인가. 붕 떠 있는 마음이 한숨을 야기했다. 어지러이 습해지고, 가쁘게 비틀어진다.

시끄러운 소리들이 귀 옆을 강타한다. 평소 이 시간이라면 은호와 함께 자신의 집으로 하교했을 텐데. 은호와 싸운 이후 연우는 다른 친구들과 함께 어울려 다니기 시작했다. 친구들과 팔짱을 끼고 복도를 걷고 있으면 가끔 은호의 눈길이 느껴졌다. 처음엔 그 마음이 신경 쓰였지만, 연우는 은호와 마찬가지로 어렸다. 연우 자신의 감정이 더욱 중요했다. 연우의 새 친구들은 착한 애들이었다. 연우가 바라던 이상적인 친구의 모습은 아니었지만, 뻘쭘하게 말을 거는 연우를 친절히 자신들의 무리에 끼워줬다. 마침 자신들도 3명인 터라 불편함을 많이 느낀 모양이다. 연우는 은호와 싸운 이후 새로운 사실 한 가지 또한 알게 되었다. 반 친구들의 연우를 보는 시선이 그렇게 좋진 않다는 것. 평소 말주변이 별로 없고 사계절 내내 동복을 입고 다니는 은호는 반 애들의 짜증을 내기 딱 좋은 상대였다. 만만해 보였다고 말하는 게 쉬울 것이다. 그건 연우의 새 친구들 또한 매한가지였다. 은호를 계속 깎아내리는 말들은 듣기 거북했다. 연우에게 남아있는 그동안의 애정이 자꾸만 마음속에서 움찔거렸다. 평소였으면 따끔하게 반박할 수 있었을 테지만, 지금의 연우는 그럴 수 없었다. 연우는 은호에게 먼저 사과할 생각이 추호도 없었다. 그동안의 응어리진 불만이 꽁꽁 엉겨 붙어 그녀를 방어하고 있었다. 그렇게 그 친구들의 말 또한 최대한 자연스럽게 넘겼다. 어쩔 땐 싫은 척 호응 또한 해주었다. 마음 한켠에서 들려오는 양심을 애써 무시했다. 그렇게 오늘 연우는 은서, 선혜, 효진이와 함께 노래방에 오게 된 것이었다.

처음엔 어색했다. 귓속에 시끄럽게 울려 퍼지는 기분 나쁜 경쾌함이 괴리를 일으켰다. 평소라면 절대

오지 않을 곳이었다. 연우는 애써 쓴웃음을 지었다. 노래를 막 부르진 않았지만, 친구들의 노래에 열심히 호응을 해주었다.

그때였다. 연우의 휴대전화가 울리기 시작했다. 평소 시끄러운 벨 소리를 좋아해 일부러 가장 좋아하는 록 밴드의 음악으로 설정해 놓은 터라 갑작스럽게 울리는 벨 소리에 깜짝 놀랐다. 휴대폰을 집어 들기까지 수많은 생각이 스쳤다. 내가 너무 늦게까지 안 들어와서 엄마가 나한테 전화를 걸었나? 아니면 아빠가 퇴근길에 태워다준다고 건 전화이려나? 나한테 전화 걸 사람이 누가 있지? 설마…. 걔려나.? 마음에 샘솟는 혹시나 하는 의심에 가슴이 두근거렸다.

'만약… 진짜 걔라면 난 어떻게 해야 하지. 왜 전화를 걸었을까? 난 뭐라 해야 하지?'

연우는 전화를 건 주인을 확인하지도 않으면서 괜한 설레발을 떨었다. 그 짧은 순간 연우의 머릿속은 이미 은호로 가득 차 있었다. 복잡한 감정이 들었다. 서둘러 핸드전화 디스플레이를 확인했다.

***

휴대폰 디스플레이 안엔 '은호'라는 이름이 떡하니 쓰여 있었다. 전화의 주인은 은호였다.

조금 전까지 두근대던 심장이 이젠 터질 것만 같았

다. 혹시 은호가 아니면 어쩌지 하던 뻘쭘함, 진짜 은호면 어쩌지 하던 기대감들이 수를 놓고 있었다. 머리가 새하얘졌다. 그 상태로 몇 초간 정지해 있었다. 그대로 세상이 멈춘 것만 같았다. 옆에서 친구들이 시끄럽게 부르는 약간은 듣기 거북한 노랫소리, 노래방 특유의 약간 간 듯한 쉰 냄새, 모든 오감이 오로지 연우가 보고 있는 화면 속의 은호에게만 집중했다. 아무 현실도 느껴지지 않았다. 꿈같은 몇 초가 현실에 자꾸만 지장을 남겼다. 현실 같은 악몽은 머리를 와작와작 집어삼켰다. 연우는 그 꿈이 단지 씁쓸한지 맛을 느끼지 못했다. 그 상태로 몇 초간 울리는 핸드폰을 쳐다보고 있었다.

연우는 생각했다.

'갈등이란 게 원래 이렇게 힘든 일이었나?'

사실 오늘 하루 연우의 머릿속은 온통 은호로 가득했다. 신나게 몸을 흔들고 아무리 벅찬 고음을 불러도 이 기분은 가시지 않았다. 은호의 잔재는 자꾸만 연우의 가슴을 간지럽혔다. 해결되지 않은 싸움에 자꾸만 미련이 새겨졌다.

'내가 그때 그렇게 말하지 말았어야 하는데. 은호를 만약 만난다면 무슨 말을 해야 할까. 지금 내가 가서 그냥 다 미안하다고 사과하는 게 맞으려나.'

연우를 감싸고 있는 자그마한 연우 자신이 연우를 자꾸만 미혹시켰다. 아무리 무시하려 해도 무시할 수 없었다. 무너뜨리려 해도 자꾸만 자신의 귓가를 맴돌 았다. 무시할 수 없었다. 그건 그동안 연우가 은호에 게 느꼈던 추억 한 켠에 각인 되있던 연민, 사랑 같 은 마음 따위였다. 은호와의 추억이 자꾸만 그녀를 괴롭혔다. 다른 사람도 아닌 은호였고, 다른 사람도 아닌 연우, 그녀 자신이었다. 은호에게 미움받고 싶지 않았다. 은호에게 쌓여있었던 추억들이 자꾸만 연우 의 발목을 붙잡았다. 그렇게 많은 생각이 들었다. 마 음속에 남아있던 연민의 감정은 자꾸만 타협점을 찾 았다. 대게가 연우 자신이 고개를 숙이자는 의견이었 다. 모든 결론이 그냥 자신이 사과하고 끝내자는 결 론으로 일단락되었다. 연우는 알고 있었다. 이 싸움은 내가 먼저 고개 숙이지 않으면 절대 끝나지 않을 것 이라는 걸 알고 있었다. 자신이 잘못했다고 세뇌하는 건 생각보다 쉬운 일이었다. 그저 잠깐의 허탈함만 느끼면 되는 일이었다. 그깟 자존심 따위 조금만 굽 히면 될 일이었다. 포기하는 것만큼 쉬운 일은 없었 고, 상대에게 무언가를 바라는 것만큼 이기적이고 무 의미한 짓은 없었다. 그런데. 그런데 왜.

연우는 은호에게 사과할 결심이 도무지 서지 않았 다. 사실 사과하고 싶은 생각은 처음부터 없었던 걸 수도 있다. 과거의 연우 속에 갇힌 연우가 아니라, 현 재의 연우의 마음이었다.

'애초에 내가 뭘 잘못한 건데…. 난 그냥 걱정돼

서…. 그래서 그런 것뿐인데.'

오랜 기간 숨기고 있었던 불신의 싹이 모습을 드러내고 광활히 퍼지기 시작했다. 일말의 죄책감. 이해안 되는 깊은 서술. 은호가 굳이 자신에게 했던 구박에 남긴 자신의 의문들. 연우는 그때 깨달았다. 그동안 그 모든 게 은호에게 초점이 맞춰있었다는 사실을 깨달았다.

평생 한 곳에만 자리를 고정해 한 피사체만 찍던 카메라는 무심코 실수로 렌즈를 돌렸다. 처음엔 당황해 황급히 원래 자리로 되돌리려 했지. 그리고 그때, 연우는 화면 속을 봐버렸다. 화면 속의 자신을 봐버렸다. 카메라는 후면이 아닌 전면을 비추고 있었다. 그리고 그 디스플레이 속엔 피사체에만 집중해 미처 관리하지 못해 황폐해진 채 헤져있는 자기 자신이 있었다. 그 주인은 연우였다. 그랬다. 그때 연우는 깨달았다. 그동안 은호에게만 집중해 있던 자기 자신이 이렇게 망가졌구나. 나는 이렇게 나 자신을 스스로 망가뜨리고 있었구나. 복잡한 감정이 파도처럼 밀려와 연우를 뒤덮었다. 그 파도는 이기적인 향을 풍겼다. 하지만 맛봐본 그 물의 맛은 너무나 달콤했다. 연우는 기꺼이 그 파도를 받아들였다. 연우는 그렇게 평생의 후회에 남을 행동을 저지르고 말았다. 사실 그녀도 그 행동을 후회하리란 걸 알았다. 그래도 그녀는 저질렀다. 더 이상 미래를 생각하고 싶지 않았다.

'그래. 내가 뭘 잘못했는데. 다신 연락하고 싶지 않아.'

연우의 감정엔 더 이상 미련이 없었다. 죄책감이 묻어있지 않았다. 오로지 자신의 감정에 솔직해지기로 했다. 연우는 핸드폰의 전원을 서둘러 꺼버렸다. 핸드폰은 저 멀리 소파에 던져버렸다. 벨소리는 더 이상 들려오지 않았다. 현실이 다시 연우를 마주했다. 친구들의 노랫소리가 들렸고, 신나게 몸을 뒤흔들고 있는 친구들의 모습이 보였다. 연우는 구석에 앉아있느라 굳은 자신의 몸을 황급히 풀었다. 연우의 마음은 무거우면서도 너무나 가벼웠다. 연우는 뛰어노는 친구들 속에 완벽히 자신을 일치시켰다. 신나게 점프하곤 세찬 소리로 노래를 불렀다. 너무나 후련했다. 연우는 그렇게 놀고 놀기를 반복했다. 시간이 흐르는 줄도 모르고 놀았다. 가끔 드는 부정적인 생각은 더 이상 연우를 괴롭힐 게 되지 못했다.

실로 즐거운 밤이었다.

***

새벽 12시 반의 늦은 시간이었다. 연우는 지치고 벅찬 몸을 이끌고 집으로 돌아가고 있었다. 은호의 전화를 끊고 나니 기분이 한결 후련해져 그 상태로 1

시간 반을 더 놀았다. 부모님은 전화를 걸지 않으시는 걸 보니 이미 잠들어계신 듯하다.

연우는 터벅터벅 차가운 공기를 들숨에 건너고 날숨에 스치면서 앞으로 향했다. 숱한 생각이 머리를 스쳐 가는 듯했다. 어떤 생각들은 오래 잔재로 남아 그녀를 구성해 주었고, 어떤 생각들은 금방 사그라들어 아무리 기억해 내려 해도 기억할 수 없었다. 그런 추억들과 향기들을 손사래 놓치고 있다는 사실이 왜인지 아쉽게 느껴졌다. 어두운 골목길은 가로등에 의존해 자신의 위치를 알리고 있었다. 그 가로등의 인도에 따라 앞으로 걸어갔다. 연우는 작게 한숨을 내쉬었다. 공기가 너무 차가워 얕은 한숨에도 희뿌연 입김이 흩뿌려 나왔다. 새로 산 패딩의 주머니에 손을 가득 움켜쥐었다. 주머니 속에 있던 핫팩이 손을 녹여주었다. 몸은 한없이 웅크렸지만, 마음만은 따뜻했다.

***

집에 거의 다 도착했을 무렵이었다. 몸이 얼어붙을 것만 같아 빠른 걸음으로 아파트 건물 안에 들어갈 때였다. 저 멀리 화단 사이 삐져나온 손 하나가 보였다. 그 손이 마치 자신을 살려 달라 구조를 요청하는 것만 같았다.

'쓰러져있는 사람이 화단 속에 파묻혀 있을 수가 있나? 술에 취했나.…?'

　얼떨떨했다. 호기심이 동했다. 연우는 한발 한발 긴장의 자세로 그 사람을 향해 걸어갔다. 온갖 무서운 생각이 머릿속을 스쳤다. 가장 느린 것 같으면서도 빠르게 시간이 흘러갔다. 하나 확실한 건, 이 장면을 발견한 이상 오늘 하루는 더 이상 평범한 하루일 수 없고, 연우는 이 사람을 더 이상 지나칠 수 없다는 것이다.

　'제발 쓰러진 거여라. 제발….'

　연우의 머릿속엔 긍정적 이기만을 바라는 헛된 희망만이 주를 이루고 있었다. 그러나 그 사람에게 다가가면 다가갈수록 그 희망은 헛된 꿈이란 걸 직감할 수 있었다. 꽃이 가득한 화단에서 얼굴을 박고 누워 있는 사람은 한 편의 그림같이 보였다. 어느 미친 예술가가 자신의 우울한 감정을 표현해 못지않아 완성한 어설프고도 완벽한 작품같이 보였다. 쓰러진 사람에게 다가가면 다가갈수록 그 사람의 신상을 조금씩 알 수 있었다. 어둠 때문에 보이진 않았지만, 그 사람은 여자로 보였고, 연우의 또래처럼 보였다. 그 여자의 곁에 풍성한 피가 흩뿌려 있었다. 숨이 멎은 듯했다. 가끔 튀어나와 있는 시신 일부분은 일부러 쳐다보지 않았다. 다행히 칠흑 같은 12시의 암흑이 연우의 다짐을 도와주었다. 그때부턴 내 눈앞에 있는 여자가 살아있을 거라는 희망이 실낱같이 깨졌다. 눈앞의 여자는…. 이미 죽은 몸이구나. 라는 생각이 들었다. 무서웠다.

'빨리 어디든 마음 편한 곳으로 돌아가고 싶어.'

연우의 마음은 침착한 듯 가빴다. 핸드폰을 켜 신고하려고 마음먹었을 때쯤 시체의 인상착의가 연우의 눈에 짓밟혔다.

"…… 우리 학교 교복…?"

연우는 허공에 속삭이며 시체를 유의 깊게 살펴봤다. 내 또래의 여자애에, 우리 학교 교복? 연우는 눈을 비벼 시체를 다시 한번 자세히 살펴봤다. 자신이 본 게 사실이 아니길 빌었다. 그러나 다시 봐도 결과는 바뀌지 않았다. 그때부터 연우의 머릿속엔 부정적인 생각만이 맴돌았다. 설마, 설마, 하는 생각이 머릿속을 지배했다. 다른 몸과 다르게 빳빳이 다려져 있는 빤 흔적이 많이 보이는 흰 셔츠, 더운 날씨에도 항상 입고 다녔던 노란 조끼, 발목까지 올린 검은색 양말과 긴 체육복 바지까지. 은호가 평소 입고 다니던 차림과 똑같았다. 애써 부정하고 싶은 사실이 점점 연우의 목을 조여 왔다. 은호가 1시간 전에 자신에게 걸었던 전화 한 통이 떠올랐다. 은호가 떠올랐다.

'설마 진짜 은호면…. 어쩌지…?'

연우는 사실 어렴풋이 알고 있었다. 자신이 그러면

안 될 것이라는 걸 알고 있었다. 그저 자신이 잘못됐다는 사실을 부정하고 싶지 않았을 뿐이었다. 뭉뚱그리는 감정에 자신을 내보일 자신이 없었다. 처음엔 타협점을 찾았다. 그다음엔 어쩌다 마주한 자신의 감정에 끝없는 합리화를 했다. 그렇게 처음으로 은호를 배신했다. 처음으로 은호의 전화를 받지 않았다. 처음으로 했던 이기적인 선택이었다. 그렇지만…. 이런 것까진 바라지 않았어. 평소엔 항상 유의하던 의심이었는데. 그래서 너의 곁을 지켜주고 싶었어. 계속 친구가 하고 싶었어.

연우는 은호일지도 모를 시체에 다가갔다. 은호가 맞을지 아닐지 알지도 못하는 상황에서 연우는 갈팡질팡했다. 형태 없는 소름이 몸을 죽이고, 이유 모를 복합적인 감정에 떨려 눈물이 흐른다. 연우는 어느샌가 펑펑 울고 있었다. 누군가의 시신이 거의 눈앞에 보였다. 그 시체에 다가갈수록 점점 자신이 생각하는 그 사람일 거라는 사실이 확연해졌다. 거리가 어두워 시신의 얼굴이 잘 보이지 않았다. 연우는 고개를 숙여 시신의 얼굴을 확인했다.

시신은 피로 뒤덮여있었다. 피로 뒤덮인 얼굴은 너무도 끔찍했다. 이목구비는 잘 보이지 않았지만, 연우는 확신할 수 있었다. 이 시신은…. 틀림없이 은호였다.

연우는 소리쳤다. 엉엉 우는 눈물과 벌벌 떨리는

추위가 맞물려 한이 서렸다. 진이 빠질 것 같은데. 소리 내어 울지 않으면 토가 나올 것만 같았다. 죽을 것만 같았다. 은호는 숨을 쉬지 않았다. 움직이지 않았다. 은호는…. 죽었다.

그리고 연우는 알 수 있었다. 은호가 어떻게 죽은 건지 알 수 있었다. 은호가 자신의 생을 스스로 마감하기 전까지 무슨 생각을 했을까. 나에게 전화를 걸었을 땐 어떤 심정이었을까. 그런 마지막 지푸라기를 놓쳐버렸을 땐 어떤 생각을 했을까…. 가늠이 가지 않았다. 생각하고 싶지 않았다. 곱씹으면 곱씹을수록 더 쓰렸다. 너무‥ 너무 아팠다.

연우는 큰 비명과 함께 닥쳐온 충격에 머리가 지끈거렸다. 세상이 어지러웠다. 몸이 가눔되지 않았다. 연우는 그렇게 바닥에 곤두박질쳤다. 그렇게 연우의 기억은 영영 멈췄다.

***

칸스텔엔 적막만이 맴돌았다. 연우는 자신이 잃어버렸던 그날의 이야기에 대해 알 수 있었다. 자신이 그렇게도 아파했던, 아무리 머릿속을 헤집어 봐도 찾을 수 없던 아픔의 근원. 그렇게 친했던 은호와 자신이 이렇게 같이 지금 이 곳에 있는 이유. 모든 해답이 세 번째 기억으로 인해 자신에게 매몰아 쳤다. 당황스러운 건 은호 또한 마찬가지였다. 그동안 칸스텔에 오는 여러 손님들을 마주하면서 생각했었다. 나는 왜 내 손으로 내 삶을 끝냈을까. 이 수많은 사연 속에서 나의 이야기는 뭐였을까. 가끔씩 궁금증이 샘솟았다. 하지만 금세 포기했다. 어차피 알 수 없는 일이므로. 알 수 없는 일에 토를 달지 말자는 생각은 어느 샌가 은호의 머릿속을 지배했고 은호는 이 궁금증 또한 포기했다. 그리고 지금, 은호는 자신의 이름을 포함한 모든 자신을 느낄 수 있었다. 은호는 연우를 힐끔 쳐다봤다. 연우 또한 이 상황이 당황스러운 듯 싶었다. 그 모든 기억을 읊게 된 은호는 생각보단 담담했다. 너무도 갑작스러워서 잘 실감이 나지 않은 탓이 컸다. 생각보다 슬프지도, 아프지도 않았다. 은호는 어느새 연우를 뚫어져라 쳐다보고 있었다. 연우 또한 은호를 쳐다봤다. 둘을 서로를 쳐다본 채 하릴없이 시간을 할애하고 있었다. 고요한 정적이었다.

먼저 정적을 깬 건 연우였다.

"......미안."

수많은 고요를 깨고 뚫어 나온 말이었다. 은호는 그 긴 시간 동안 연우가 느낀 감정을 조금은 알 수 있었다. 이 짧은 말을 하기까지 얼마나 많은 생각들이 발자국이 되어 남겨졌을지 또한 알 수 있었다. 은호는 가벼운 한숨을 내쉬었다. 연우의 감정을 받아들일 준비를 했다.

"괜찮아."

짧지만 강렬한 말들이 서로의 공허에 남아 울렸다. 눈이 따끔했다. 얼굴에 열이 올랐다. 깊은 감정들이 모든 마음에 들끓었다. 예고 없이 흐르는 눈물에 연우와 은호는 당황해 서로를 쳐다본 둘은 금세 안심했다. 서로가 같은 마음이란 것을 느낄 수 있었다. 소리 없는 웃음이 눈물이 되어 서로를 비추어주었다. 그렇게 둘은 서로를 마주했다.

* * *

선택지의 길이 길게 이어졌다. 환생과 별 둘 중의 하나를 고를 수 있다면 무엇을 선택할 것인가. 연우는 긴 고민에 빠졌다. 별과 환생은 가시거리 같다. 사람들은 별을 보며 죽은 사람을 생각하고, 환생하여 마주하기도 한다. 전생을 기억하는 사람은 없지만 환생한 그를 보며, 별을 보며 사람을 눈동자에 비춰 이어 하나의 가시거리를 만든다. 연우는 결국별과 환생의 긴 이야기 중의 환생을 선택했다.

연우는 환생을 선택했기에 2년이 끝나가는 지금 은호는 연우에게 환생 절차를 설명하려 한다. 환생 절차를 이야기하면서 연우와 하고 싶은 말이 너무 많았다. 살아있을 때의 기억이 스쳐 지나가듯 난건 사실이고 연우와의 추억도 다 생각났다. 하지만 연우의 이야기를 보았던 거지 은호의 이야기는 아닌 것처럼 환생 절차를 뒤로하곤 은호의 이야기를 물어보려 한다.

"나 살아있을 때 어땠어?"

연우는 뜬금없는 듯이 쳐다보았지만, 말을 이어 나갔다.

"살아 있을 땐 지금처럼 이렇게 활짝 웃는 모습도 어렸을 때 빼곤 본적도 없었어. 학교에선 항상 꼭 이미 죽은 사람처럼 무표정이었고, 항상 지친 듯 축 처져있었어. 우리가 처음 만난 초반에는 울기도 하고 다양한 감정을 표현했지만, 중학교를 넘어가고 나서부턴 울지도 웃지도 않았어. 웃더라도 가식적인 웃음들뿐이었어."

"………."

연우의 말에 은호는 대답하지 않았다. 어쩐지 생각이 많아 보였고, 복잡한 듯 보였다. 정적이 매우 잠깐 흘렀다. 공기가 어색해질 정도로 적막했다. 그러다가 연우가 먼저 말을 뗐다.

"있잖아"

어색하고 적막한 애매모호한 분위기가 지속됐다. 연우는 어쩐지 조심스러웠다.

"내가 그때 네가 죽기 전에 전화를 받았다면 지금 상황에 변화가 있었을까? 내가 너를 향해 달려갔다면, 우리가 싸우지 않았다면 우린 지금까지 살아있을까? 대학교에 다니고 서로 웃음을 지을 수 있었을까?"

연우는 조심스럽기만 한 줄 알았지만, 떨고 있었다. 목소리는 파들거렸고, 양손을 꽉 쥐고 공손히 있었다. 연우답지 않았고 대답이 무서운 듯 보였다. 조용히 듣기만 하던 은호는 말을 이어 나갔다.

"지금 내 생각이 살기 전 은호와의 생각과는 많이 다를 걸 알지만 상황은 지금과 똑같았을 거야 딱히 변화 없이. 변화가 있다면 조금 더 늦게 죽었을 수도."

은호는 태연한 듯 말했다.

연우는 은호를 바라보며 눈가를 붉혔다. 왼 볼에서부터 오른쪽 볼이 천천히 빨개졌다. 고마움과 미안함이 같이 공존했다. 사실, 미안함이 더 컸던 거 같다. 해준 게 없는 것 같이 느꼈던 마음의 죄책감이, 가득했던 불안함이 한층 좀 더 가라앉은 듯했다.

"달라질 건 없어 너한테 죄책감을 안겨주는 건 더 싫고, 넌 살아있을 때 최선을 다했어. 운명인 거겠지."

은호는 예전 성격이 돌아온 듯한 말투로 말했다. 연우는 그런 은호를 덥석 안아버리고는 몇 분 동안 가만히 있었다.

"너네! 지금 재회 시간 아니거든! 인수인계하랬지 드라마를 찍네! 찍어"

이디첼이 장난스러운 듯한 말투로 말했다.

"반가워서요.…!"

은호는 이디첼에 말해 대답하고는 인수인계를 진행하려 했다.

그렇게 연우에게 절차를 설명하려는데 말끝이 점점 느려지고 흐려졌다. 가기 싫은 기분. 이제 여기도 끝인 거다. 처음엔 이 일을 하는 게 지긋지긋하고 사람이 오는 것만으로도 얼굴이 찌푸려졌다. 예전엔 왜 사람이 그렇게 싫은가하는 여러 궁금증이 머릿속을 스쳐 지나갔지만, 이제는 알겠다. 내가 내 현실을 알게 된 건 여러 시행착오 옅지만 여기 계속 있으며 정이 들었나. 여기를 떠나기 싫은 기분이 계속 머릿속을 맴돌았다.

 연우 덕분일까 칸스텔의 분위기가 한층 더 맑아졌다. 계속 인수인계를 이어 나가려 했지만, 말이 도저히 나오지 않았다. 정이라는 단어는 누군갈 끌어당기듯 따스한 말이지만, 어떨 때는 그 길을 못 걸어가게 붙잡아 두는 어떤 실의 빨간 끈 같다. 거길 벗어나야만 하는 상황이나 벗어나야 할 때 그 정이라는 단어 한 글자에 얽매여 있다. 지금 말이 도저히 나오지 않는 것처럼 말이다. 여기에 생긴 스토리들이 가슴 한 편을 아리게 만든다. 2년이란 짧다면 짧고 길다면 긴 그 시간 속에 강아지를 맡아보기도 하고 현실로 내려가 본 사람은 몇백만 분의 일이겠지. 이런 소소하고 세세한 기억들이 메모리칩이 가슴 안에 들어있는 것처럼 사라지질 않는다. 이 기억을 잊고 현실로 돌아가기엔 지금 여기가 이야기가 뜨거운 햇살 비추는 여름처럼 강렬하다.

"왜 인수인계하려니까 여기가 그리워져?"

이디첼의 말에 은호는 끄덕거리며 말했다.

"여기에 추억이 너무 많아졌어요. 하나하나 소중해요. 이 모든 일들이 제 머릿속에서 사라진다는 게 너무 무섭고 두려워요."

이디첼이 은호의 이야기를 조용히 듣더니 말했다.

"내가 그 생각 때문에 계속 여기 남아있어, 그냥 지금 이미 이 일을 하는 그것조차도 현실의 일을 잊고 하는 일이잖아. 괜찮을 거야. 나는 그냥 여기 남지 않고 환생했으면 어땠을까 싶어. 환생하면 여기 기억은 잊어도 현실 세계의 추억이 만들어질 거야. 이제 그녀의 세상이 소중해질 거고 환생을 해보는 게 어때?"

은호는 깊은 생각에 잠겼다. 생각하는 동안 이디첼이 연우에게 절차를 설명했다. 이디첼은 여기 경력이 오래돼서 그런가. 짧고 간결하게 인수인계를 끝냈다.

"저는 2년 고생한 만큼 계획했던 그대로 환생할래요."

은호는 혼자 생각하더니 환생하겠다며 이디첼에게 걸어왔다.

"잘 생각했어! 오늘은 여기서 그만 쉬도록 해 남은

일들은 너의 후배 연우가 일할 거야"

연우는 이디첼의 말에 눈이 동그랗게 커졌지만 이디첼이 웃으며 말하니 그냥 끄덕거릴 수밖에 없었다. 은호는 손을 흔들며 숙소로 갔다. 그리고 숙소에 오자마자 드러누웠다. 오늘따라 더욱 힘들고 지치는 기분. 그냥 눕기만 했는데 잠이 들었다. 몇 시간 지났나. 은호의 방문이 열렸다. 방문이 열리는 소리에 잠이 깬 은호는 방문 쪽을 쳐다보았다. 거기엔 연우가 인사를 하며 서 있었다.

"Hi~~"

은호는 눈을 여러 번 끔뻑거리며 연우와 침대를 반복하며 쳐다보았다.

"너 2일 뒤에 가잖아 그동안 여기서 같이 지내래"

은호가 연우의 말에 웃으며 연우와 눈빛 교환을 하면서 사악한 웃음을 지었다.

"야 여기 호텔이네! 거의 난 여기서 평생 지낸다. 물론 일이 너무 감정 소모가 심할 것 같지만"

은호는 얼굴을 찌푸리면서 뭐가 좋냐는 표정으로 연우를 쳐다보았다.

"야 영화 보자 영화!!"

연우는 고개를 갸웃거리며 말했다.

"뭐야 야기 영화도 볼 수 있어? 진짜 말 그대로 천국이네"

은호와 연우는 영화 하나를 골라 한 침대에 누워서

또 하나의 추억을 만들어갔다.

"야 솔직히 저 부분에선 남자가 잘못했다. 여친 생기건 말해줘야 하는 거 아니야? 저렇게 친한데?"

은호는 재잘거리는 연우를 빤히 쳐다보면서 생각했다.

현실로 가서도 이렇게 좋은 친구를 만날 수 있을까. 계속 웃음만 나는 일상을 만들어갈 수 있을까. 딱히 무얼 하지 않아도 어색하지 않고 서로 자존심 부리지 않으며 서로서로 존중할 수 있는 그런 소중한 친구. 이런 추운 겨울에 지금의 공기가 따뜻한 것처럼 내 모든 걸 다 줘도 아깝지 않을 만한 친구.

"야야! 무슨 생각해? 저기선 누가 잘못한 거 같냐니깐?"

"어…? 어! 나도 그 사람이 잘못했다고 생각해"

"그렇지!!"

그렇게 연우와 은호는 조용하고 모두가 잠든 고요한 새벽에 둘이 수다를 떨며 긴 새벽 밤을 보냈다.

*

*

*

D-1

06 : 00

칸스텔의 기상 시각은 6시이다. 겨울이어서 그런가. 일어나는데 햇빛이 나를 안 비추어주니 몸이 찌뿌둥한 기분이다. 여기 너무 익숙해진 체계에 6시에 눈이 자동으로 떠졌지만, 연우는 곤히 잠만 자고 있었다. 은호는 연우를 깨운 후 숙소를 나가 아침밥을 먹은 후 일하러 가는 길에 이디첼이 뛰어와선 말했다.

연우와 은호는 하루 동안 인테인을 같이 봤다. 같이 봤다기보단 은호가 일하는 것을 보고 배운 느낌이 더 크다. 은호가 좀 지칠 때 연우가 옆에서 좀 도움을 준 것뿐.

칸스텔에서 일하다 보면 죽은 사람을 마주하기란 그 어떤 두려움보다 크다. 물론 천국에 왔다는 거 자체가 지금껏 큰 나쁜 일 하지 않고 착하게 살아오신 분들이란 걸 그 누구보다 잘 알지만 여기 온 순간 아무리 착하게 살아도 억울함과 아쉬움 여러 감정에 휩싸인다. 그렇게 여기 아스트 들은 여기를 오게 된 인테인의 머릿속을 보며 트라우마에 시달리기도 하고 우울증에 걸리는 분들도 다반사이다.

그 기억을 읽고 트라우마에 시달리게 되어 꿈에 나오고 심각해지면 기억을 읽은 그 기억을 지운다. 이 방법이 좋은 방법은 아니지만 어쩔 수 없다. 이런 많은 이유에 이어 여기 인테인 들은 감정에 공감해 주는 것은 맞지만 너무 많은 감정을 쏟지는 않는다.

연우는 사람들의 감정에 공감을 잘해준다. 현실에

있을 때도 여러 애들의 여러 고민을 들어주었다. 그만큼 그 여러 감정을 받아들이고 공감하며 스트레스도 받았으며 상담해 주며 친구도 많았다.

 마지막 손님은 연우가 맡기로 해 연우가 맡고 있었다. 은호는 손님을 받는 연우를 조용히 지켜보기만 하였다. 연우는 손님을 다 본 후 많이 지친 듯 눈꺼풀이 축 처진 채로 걸어왔다. 또 모든 감정을 다 쏟은 게 분명하다. 그렇게 일과를 끝낸 후 숙소로 돌아가는 길에 은호가 말했다.

"너 그렇게 너무 인테인에 감정을 다 쏟지 마. 금방 지칠걸.

연우는 은호의 말을 듣곤 웃음을 지으며 말했다.

"알고 있어 현실에서도 여러 명의 고민 들어주며 똑같았으니까 하지만 난 이런 감정을 다 쏟아부으면서 누군갈 도와주고 싶어 나도 적당히 감정조절은 할게. 걱정은 하지 말고."

"알았어, 언제나 조심하고."

그렇게 은호와 연우는 오늘 하루 힘든 짐이나 그냥 학교 끝나고 돌아오는 여느 학생처럼 그때 그 시절로 돌아간 듯 이야기를 나누며 숙소로 걸어갔다. 숙소에 도착해선 씻고 불을 끈 다음 파자마를 하듯 침대에 나란히 누워 천장을 바라보고 이야기 나눴다.

"벌써 내일이 끝이네. 나 살아있을 때 항상 너와 이렇게 누워있어야 하루가 끝마치는 느낌 들었다? 항상 하루의 마지막은 너로 끝났으니까 이렇게 죽고 서로 만나게 됐는데 이제 또 헤어져야 한다는 게 슬프고 씁쓸해."

은호가 쓴웃음을 지으며 연우에게 말했다.

"그건 나도 그래 잠깐 이였어도 다시 만날 수 있어서 행복했어! 그래도 환생하겠다고 말했던 내 선택을 후회하지 않아. 만약 우리가 운명이라면 네가 2년을 끝내고 다시 태어났을 때 우리가 언니 동생으로 만나게 되겠지. 그때 다시 보자 우리."

"그래"

*
*
*

D-DAY

05 : 50

"야 일어나!"

6시가 안 된 지금 연우가 먼저 일어나서는 은호를 깨웠다.

"급해!!"

일어나지도 못한 은호를 깨워 연우는 로비로 이동하였다. 은호는 아직 다 자지 못한 비몽사몽 한눈을 치켜세우곤 앞은 쳐다봤다.

어두컴컴했던 로비가 단 몇 개의 촛불로 인해 환하게 비추어졌다.

"생일 축하합니다~ 생일 축하합니다~"

이디첼이 케이크를 들고 많은 분이 은호를 축하해주셨다.

"에? 제 오늘 생일 아닌데요?"

이디첼이 활짝 웃으며 축하해 주셨다.

"왜 여기 2년 전 딱 오늘 들어왔잖아 그럼 칸스텔에선 오늘이 생일 아니겠어?"

"아 그러네요.! 감사합니다."

"수고 많았고, 지금껏 고생해줘서 고마웠어! 네가 한이 선택이 후회 없는 선택이었길 바랄게. 수고했어."

그냥 행복하게 끝날 줄만 알았던 마지막에 눈물이 흘렀다. 은호가 눈물을 흘리자 당황한 이디첼의 말이 빨라졌다.

"어? 울라고 한 말 아닌데?? 왜 울고 그래 원래 마지막은 행복하게 웃는 모습만 보여주는 거랬어, 뭘 울고 그르냐? 케이크나 먹고 가셔~"

은호가 얼굴에 흐르는 눈물을 닦고는 말했다.

"저 여기서 케이크까지 먹고 나면 여기에 평생 있고 싶어질 거 같아요. 그냥 여기서 딱 마칠래요. 깔끔하게."

칸스텔에서 연우와 함께 있는 이틀은 어느 때보다 빠르게 흘러갔다. 내가 지냈던 이곳에서 지냈던 지난날

중에 제일 웃음이 많은 날이었고, 제일 행복했던 이틀이었다.

　은호는 숙소를 떠나 환생 문 앞에 섰다.

문 앞에 서니 여러 감정이 벅차올랐다. 환생 문 앞에선 눈물조차 나지 않았다. 도저히 이곳에서 발이 떨어지지 않았다. 한 발만 내디디면 환생인데 이 선택 후회하지 않기로 했는데 후회할 거 같았다. 그렇게 어찌할지 모르는 발을 두곤 뒤를 돌아봤다. 연우와 이디첼 칸스텔분들이 손을 흔들어주고 있었다. 진짜 마지막이다. 그렇게 벅찬 감정을 억누르곤 한 발을 내디뎠다.

＊

＊

＊

　칸스텔은 좋은 기억 속 겨울의 한 장면이었고, 조급함 하나 없이 편안히 내려앉아 새하얗게 쌓인 눈송이들이었다. 이 끝은 가지각색의 다양한 감정들로 내몰아쳤고, 그 감정들은 죽음의 감정의 억울함과 답답함, 그리움들을 폭삭하게 내디뎌주는 발판이었다. 칸스텔은 별들은 우리의 추억을 그렸고 하나의 이야기를 만들어냈다.

***

머릿속이 점점 새하얀 종이처럼 변해갔고, 더 이상 아무 생각도 들지 않았다. 둥둥 떠다니는 공기가 자욱해지듯 눈 앞을 가리고 머릿속이 흐릿해졌다.

-epilogue-

따스한 봄바람에 설레는 향기가 묻어왔다. 하늘에선 벚꽃잎이 흩날렸다. 따뜻한 기온에 겉옷을 입지 않아 향기로움이 몸에 묻었다.

"엄마!!!"

엄마를 부르는 신난 아이의 목소리가 울려 퍼졌다. 뛰어가는 아이의 발 아랜 천진난만함이 떨어졌다. 아이의 엄마는 달려오는 아이를 향해 몸을 돌렸다. 엄마의 입가엔 예쁜 호선의 미소가 지어졌다. 상쾌한 향이 났다. 어린아이를 반기려 두 팔을 벌리고 있는 품 사이로 단번에 뛰어 들어가 안겼다. 부드러운 옷의 감촉이 간지러웠다. 웃음이 터져 나왔다. 품 안에 안겨 햇살 같은 웃음을 짓고 있는 아이는 퍽 행복해 보였다. 아이의 부모가 좋아하는 표정이었다. 아이를 내려다보는 엄마의 표정도 이루 말할 수 없이 다정했다.

서로를 부둥켜안고 있는 모녀를 향해 아이의 아빠가 흐뭇한 표정을 지으며 걸어왔다. 두 모녀를 향해 다가오는 듬직한 발걸음엔 가정에 대한 책임감이 묻어나왔다. 어느 누가 봐도 서로를 아끼고 사랑하는 단란한 가정이었다. 누군가가 햇살 같은 그 아이의 행복을 간절히 바라는 듯 언제까지고 행복할 것 같은 순간이었다.

작가의 말

감동, 힐링으로 주제로 정했다. 그 까닭은 힘든 세상에 조금의 쉼이 돼주고 싶었다. 요새 현대인 들은 할 일이 너무 많고 바쁘다. 시간은 빠르고 세차게 지나간다. 그러기에 시간 개념은 있지만, 그 중간의 쉼터가 사라진 거 같은 느낌이 들 때가 있다.

사람들은 바쁜 와중에도 사랑을 찾고 사랑을 한다. 하지만 너무 현실이 바빠 이별을 해도 슬퍼할 틈이 없다. 다시 결국 빠르게 이별을 잊고 다시 자기의 세계로 돌아와야 한다. 그러기에 소중한 사람과 이별을 한 사람들에게 위로가 돼주고 싶기도 했다.

별은 길을 잃은 사람들의 이정표라는 말이 있다. 하늘을 올려다보면 항상 별이 보인다. 소중한 사람을 잃은 슬픔에 하늘을 올려다보면 그 사람을 떠올릴 수 있으면 좋겠다고 생각했다.

사후를 다루지만, 삶은 소중하다는 것을 말하고 싶었다. 다양한 인물의 상황과 삶을 대하는 태도를 볼 수 있다. 여러 주인공의 서로 다른 이야기로 삶의 소중함을 적었다.

고로 죽음 이후 별과 환생의 선택지를 주는 것으로 정했다.